신개념 스포츠지도사 문제집 2023

시험대비

스포츠사회학

단원별 출제빈도 분석

단원	2015 (전문)	2015 (생활)	2016	2017	2018	2019	2020	2021	2022	누계 (개)	출제율 (%)
제1장 스포츠사회학의 이해	2	2	2	6	2	3	2	3	2	24	13
제2장 스포츠와 정치	2	3	2	1	2	2	2	1	3	18	10
제3장 스포츠와 경제	2	2	2	1	2	2	1	2	2	16	9
제4장 스포츠와 교육	2	2	1		2	1	1		2	11	6
제5장 스포츠와 미디어	3	2	2	2	3	2	3	2	3	22	12
제6장 스포츠와 사회계층	4	3	4	2	2	2	3	4	2	26	14.5
제7장 스포츠와 사회화	3	3	1	2	4	2	2	2	2	21	12
제8장 스포츠와 사회적 일탈	2	1	3	4	3	3	5	4	2	27	15
제9장 미래사회와 스포츠		2	3	2		3	1	2	2	15	8.5
합계	20	20	20	20	20	20	20	20	20	180	100

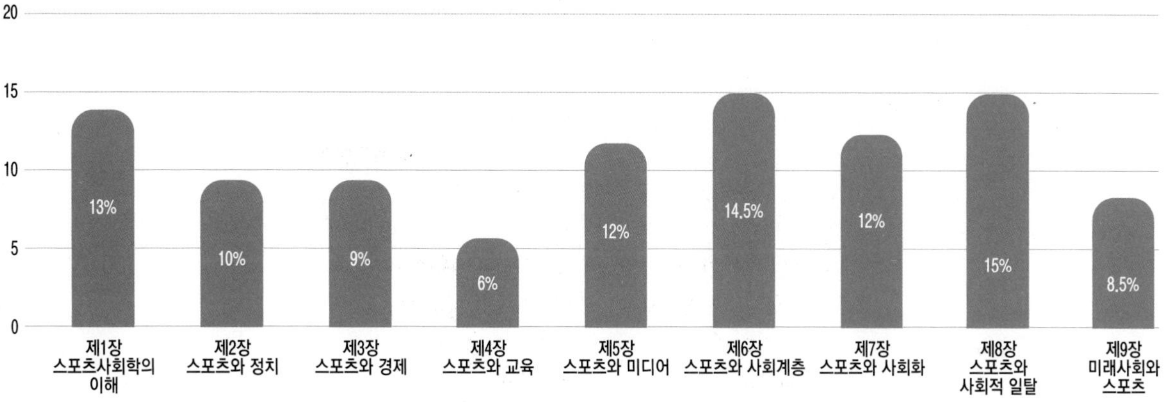

단원별 출제비율 그래프

01 Chapter 스포츠사회학의 이해

놀이, 게임, 스포츠의 특성

놀이	게임	스포츠
허구성	허구성	허구성
비생산성	비생산성	비생산성
자유성	불확실성	불확실성
규칙성(임의)	규칙성(관례화)	규칙성(제도화)
쾌락성	경쟁성	경쟁성
	신체적 기능, 전술, 확률	신체적 기능, 전술, 확률
		신체의 움직임, 탁월성
		제도화

⑧ 스포츠의 분류(매킨토시)……**기술스포츠, 투쟁스포츠, 극복스포츠, 율동적 무용스포츠**

근대 스포츠의 특성

세속주의	고대에는 종교의식의 일환으로 스포츠가 행해졌지만, 지금은 개인의 성취와 오락적 측면이 강조되고 있다.
평등성	과거에는 스포츠에 참여할 수 있는 기회가 귀족 등 일부에게만 한정되었으나, 지금은 누구나 참여할 수 있고, 모든 참가자가 동등한 조건하에서 경기를 한다.
전문화	프로선수가 생겼고, 포지션 별로 전문 선수가 있다.
합리화	근대 스포츠의 규칙은 전통이나 종교적 신념이 아닌 합리적인 의사결정 과정을 통해서 결정된다.
관료화	스포츠를 관리하는 체계가 고도로 조직화되어 있다.
수량화	근대 스포츠에서는 점수, 시간, 거리 등 표준화된 측정 장비와 방법을 통하여 수량화하고 있다.
기록추구	상대 선수를 이기기 위한 경쟁뿐만이 아니고 다른 선수가 세운 기록을 넘어서기 위해서도 경쟁한다.
제도화	스포츠의 기술 · 가치 · 규범 등이 공식화되고 있다. ※ 코클리(J. Coakley)의 스포츠제도화 과정 규칙의 표준화 → 규칙을 집행하는 기구 운영 → 행동의 조직적 · 합리적 측면 강조 → 경기기술의 정형화

스포츠사회학의 정의

☞ 스포츠와 관련된 사회 및 문화요소와 스포츠의 상호관계를 연구하는 학문이다.

☞ 스포츠의 맥락에서 인간의 사회행동 법칙을 규명하는 학문이다.

☞ 스포츠 현상을 사회학적 이론과 연구방법을 적용하여 연구하는 사회학과 스포츠과학의 경계 학문이다.

스포츠사회학의 연구영역

거시적 영역	스포츠와 정치, 경제, 교육, 대중매체, 문화 등
미시적 영역	스포츠와 일탈행위, 사회화, 사회계층, 사회집단, 사회조직 등
전문적 영역	스포츠사회학의 연구방법, 이론 등

스포츠의 사회적 기능

1 순기능

사회성 함양	경쟁적인 스포츠활동을 통해 규칙준수와 상대 존중, 대립과 타협, 자제와 관용, 설득과 이해하는 마음을 배울 수 있고, 스포츠 정신을 통해서 신념, 가치, 도덕 등 민주시민의 자질과 태도를 함양할 수 있다.
사회통합	스포츠활동을 통해서 개인의 욕구불만과 스트레스를 해소하고, 폭력이나 일탈행동과 같이 사회적으로 문제가 되는 행동을 예방함으로써 이질적인 개인들을 사회구성원으로서 일체감을 갖게 할 수 있다.
여가선용	여가시간에 스포츠활동을 함으로써 심신에 활력을 불어넣고, 성취감을 맛보게 하여 정서적으로 안정시킴으로써 행복한 삶을 영위하게 한다.
건강유지	스포츠활동을 통해서 개인의 성장발달을 돕고 체력을 육성함으로써 운동부족을 해소하고, 성인병을 예방하여 건강을 유지하는 데에 결정적인 도움을 줄 수 있다.
경제발전	스포츠산업의 발달로 경제발전에 기여할 수 있다.

2 역기능

사회통제 기능	정치, 경제, 사회 등 국가적인 문제에 대한 관심을 분산시키기 위한 목적으로 스포츠가 이용될 수도 있다.
신체소외	스포츠에 참가한 선수의 신체가 돈을 벌기 위한 도구로 인식될 수도 있다.
과도한 상업주의	스포츠가 하나의 상품으로 인식될 수도 있다.
성차별	스포츠가 남성의 전유물로 인식될 수도 있다.

스포츠와 사회 이론

1 구조기능주의 이론

☞ 인간의 신체는 여러 기관들이 하나의 구조를 이루고 있고, 각 구조체들이 제 기능을 다 해야 건강을 유지할 수 있다.

☞ 마찬가로 사회는 경제, 종교, 교육, 정치, 스포츠 등이 하나의 구조를 이루고 있고 각 구조체들이 각각의 기능을 수행함으로써 사회 유지에 기여 하고 있다.

- ☞ 구조기능주의 이론은 스포츠의 긍정적인 측면만 강조하고 있다는 비판을 받고 있다.
- ☞ 구조와 구조체의 기능을 지나치게 강조하고, 개인의 가치와 역량은 무시하는 경향이 많은 이론이다.

2 파슨즈(T. Parsons)의 AGIL 모형

- ☞ 파슨즈는 구조기능주의 이론의 관점에서 보면 이 사회에서 스포츠의 역할은 다음과 같다고 하였다(AGIL은 각 기능의 머리 글자임).
- ☞ Adaptation/적응 : 스포츠가 사회구성원들이 현실에 적응할 수 있도록 사고 · 감정 · 행동 양식 등을 학습시킨다.
- ☞ Goal attainment/목표달성(목표성취) : 스포츠가 정당한 경쟁을 통하여 목표를 달성하도록 한다. 경쟁을 통해 달성된 목표를 가치와 의미가 있는 것으로 본다.
- ☞ Integration/통합(사회통합) : 스포츠는 사회구성원들 간의 유대를 강화하고, 조직의 일체감을 조성한다.
- ☞ Latency/체제유지 및 긴장해소(체제유지 및 관리) : 스포츠는 전체 사회의 규범과 가치를 개인에게 학습시켜 순응하게 한다.

3 갈등이론

- ☞ 모든 사회제도는 지배집단이 자신들의 기득권을 유지하기 위한 도구로 만든 것이다.
- ☞ 스포츠도 스포츠 지배집단의 현상 유지를 위한 도구이다.
- ☞ 지배집단이 대중으로부터 재화나 권리를 갈취하고, 자신들에게 복종할 것을 요구한다.
- ☞ 개인이 스포츠를 통해서 얻는 즐거움, 활력, 삶의 의미 등을 설명하지 못 한다.
- ☞ 경제적 관점을 지나치게 강조하고, 주체로서의 개인을 간과하며, 오로지 투쟁 또는 갈등만을 강조하는 이론이다.

4 상징적 상호작용 이론

- ☞ 개인의 행동이나 사고는 사회의 영향을 받는다.
- ☞ 동시에 개인은 사회를 구성하고 변화시키는 주체적 존재이다.
- ☞ 개인과 사회의 상호작용에 의해서 사회화가 이루어진다.
- ☞ 스포츠가 다양한 상징적 의미를 지니고 있다는 점에서 스포츠 분야에 가장 적합한 사회이론으로 받아들여지고 있다.

5 비판이론

- ☞ 현대사회는 합리성을 증가시켰지만 인간의 자유성은 더욱 더 억압되고 있다.
- ☞ 스포츠가 특정 이데올로기를 전파하고 강화시킬 수 있다.
- ☞ 그러므로 스포츠를 통해서 기존의 이데올로기를 전복시키고 사회의 합리성을 회복할 수 있다.

필수 및 심화 문제

필수문제

01 다음 중 놀이, 게임, 스포츠의 공통적 특성을 바르게 제시한 것은?

① 허구성, 비생산성 ② 비생산성, 불확실성
③ 불확실성, 규칙성 ④ 규칙성, 경쟁성

■ **불확실성**은 게임과 스포츠의 공통적 특징이지만 놀이에서는 자유성이고, **규칙성**은 놀이 · 게임 · 스포츠에 모두 공통적인 것 같지만 그 규칙이 임의적 · 관례적 · 제도적인 것이기 때문에 실제로는 서로 다르다. 그리고 **경쟁성**은 게임과 스포츠에는 있지만, 놀이는 경쟁하는 것이 아니라 재미(쾌락성)로 한다.

심화문제

02 놀이, 게임, 스포츠 중에서 스포츠만이 가지고 있는 특성은?

① 불확실성 ② 경쟁성 ③ 신체적 기능과 전술 ④ 제도화된 규칙

■ ①, ②, ③은 게임과 스포츠가 공통적으로 가지고 있는 특성이다.

03 보기의 ㉠, ㉡에 알맞은 용어는?

> 보기
> 친구들과 개울가에서 물장구를 치면서 장난을 하는 경우 (㉠)의 한 형태가 되지만, 제도화된 규칙 하에서 상대방과 경쟁하는 수영은 (㉡)(이)라고 할 수 있다.

① ㉠놀이 ㉡스포츠 ② ㉠놀이 ㉡게임
③ ㉠게임 ㉡놀이 ④ ㉠스포츠 ㉡게임

■ 놀이에는 제도화된 규칙이 없다.

필수문제

04 코클리(J. Coakley)가 제시한 스포츠 제도화의 특성에 해당하지 않는 것은?

① 경기규칙의 표준화 ② 경기기록의 계량화
③ 활동의 조직적, 합리적 측면 강조 ④ 경기기술의 정형화

■ 경기기록의 계량화는 스포츠의 제도화라기보다는 합리화에 속하는 하나의 요인이다.

■ **스포츠제도화의 특성**
- 경기규칙의 표준화
- 활동의 조직적 · 합리적 측면 강조
- 경기기술의 정형화

필수문제

05 거트만이 근대 스포츠의 특성이라고 설명한 내용 중 틀린 것은?

① 세속주의 : 고대에는 종교의식의 일환으로 스포츠가 행해졌지만 지금은 개인의 성취와 오락적 측면이 강조되고 있다.
② 평등성 : 스포츠에 참여할 수 있는 기회가 누구에게나 동일하고, 모든 참가자가 동등한 조건 하에서 경기를 한다.
③ 전문화 : 프로선수가 생겼고, 포지션별로 전문선수가 있다.
④ 관료화 : 스포츠를 관리하는 것은 정부의 관료이다.

■ 스포츠를 관리하는 체계가 고도로 조직화되어 있는 것을 관료화라고 한다. 그밖에 합리화, 수량화, 기록추구도 근대 스포츠의 특성이다.

정답 01 : ①, 02 : ④, 03 : ①, 04 : ②, 05 : ④

심화문제

06 거트만(A. Guttmann)의 근대스포츠 특성에 관한 설명으로 옳지 않은 것은?

① 수량화 : 시간, 거리, 점수 등 측정 가능한 숫자로 표현한다.
② 합리화 : 자산, 지위, 계층과 관계없이 동일한 종목에 참여한다.
③ 전문화 : 포지션의 분화와 리그의 세분화를 촉진한다.
④ 관료화 : 규칙을 제정하고 경기를 조직적으로 운영한다.

■ 스포츠의 규칙은 합리적인 의사결정 과정을 통해서 결정된다는 것이 '합리화'이다.

필수문제

07 스포츠사회학의 정의에 대한 설명으로 적절하지 않은 것은?

① 스포츠의 맥락에서 인간의 사회행동 법칙을 규명한다.
② 스포츠 현상을 일반 사회구조의 측면에서 설명한다.
③ 사회학의 하위분야로 스포츠 현상에 사회학적 개념을 적용한다.
④ 선수 개인의 행동과 관련된 인간 내면의 특성 및 과정을 설명한다.

■ 선수 개인의 행동과 관련된 인간 내면의 특성 및 과정을 설명하는 것은 스포츠심리학이다.

08 다음 중 스포츠사회학에 대한 설명으로 적절하지 않은 것은?

① 스포츠 현상에 사회학적 이론과 연구방법을 적용하여 연구하는 사회학과 스포츠과학의 경계과학이다.
② 스포츠와 운동 상황에서의 인간과 인간행동을 과학적으로 탐구하는 학문이다.
③ 사회학의 하위 분야로서 사회행동의 과정과 유형을 스포츠의 맥락에서 설명하는 학문이다.
④ 스포츠 장면에서 일어나는 행동유형과 사회과정을 일반 사회구조의 측면에서 설명하는 학문이다.

■ 스포츠사회학은 스포츠 장면에서 일어나는 행동과 사회화과정을 일반 사회학 이론을 적용해서 설명하는 학문이다.

필수문제

09 스포츠사회학의 연구영역을 거시적 영역, 미시적 영역, 전문적 영역으로 나누었을 때 전문적 영역에 속하는 것은?

① 스포츠와 정치, 경제
② 스포츠와 일탈행위
③ 스포츠사회학의 연구방법
④ 스포츠와 교육

■ ①과 ④는 대규모의 사회제도와 스포츠의 관계를 연구하는 거시적 영역이고, ②는 소규모 사회체제와 스포츠의 관계를 연구하는 미시적 영역이다.
스포츠사회학 자체의 학문적인 연구는 전문적 영역이다.

정답 06 : ②, 07 : ④, 08 : ④, 09 : ③

심화문제

10 스포츠사회학의 연구영역과 주제 중 거시영역의 사회제도와 관련된 연구내용이 아닌 것은?

① 정치　② 경제　③ 교육　④ 조직

■ 거시적 영역은 스포츠와 정치, 경제, 교육, 대중매체, 문화 등이다.

11 스포츠사회학을 적용한 연구 사례로 옳지 않은 것은?

① 종교가 스포츠 보급에 미치는 영향을 분석하였다.
② 운동선수들의 은퇴 후 사회적응과정을 분석하였다.
③ 스포츠 활동과 생활만족도 간의 관계를 연구하였다.
④ 걷기의 운동량이 다이어트에 효과가 있는지를 규명하였다.

■ ④는 운동생리학에 관련된 연구이다.

12 보기의 ㉠, ㉡에 들어갈 용어는?

> 보기
> 스포츠사회학은 스포츠에서 나타나는 행동유형과 (㉠)에 초점을 두고 있으며, 이를 스포츠활동이 존재하는 일반 (㉡)의 측면에서 설명하는 학문이다.

① ㉠사회환경 ㉡사회문제　② ㉠사회과정 ㉡사회구조
③ ㉠사회환경 ㉡사회관계　④ ㉠사회과정 ㉡사회변화

■ 스포츠사회학에서 관심을 가지고 있는 것은 행동유형과 사회과정 및 사회구조이다.

필수문제

13 스포츠의 사회적 순기능을 설명한 것이다. 옳지 못한 것은?

① 스포츠는 개인의 정서를 순화시켜 부정적 행동을 예방할 수 있다(사회정서적 기능).
② 스포츠 참여를 통해서 신념, 가치, 규범 등 사회적 가치를 배울 수 있다(사회화기능).
③ 서로 다른 사회적 배경을 가진 사람들을 서로 공감하는 하나로 통합할 수 있다(사회통합기능).
④ 국가적인 관심을 스포츠로 분산시킬 수도 있다(사회통제기능).

■ 사회통제는 순기능이 아니고 역기능이다. 그밖에 선수가 자신의 신체를 돈을 벌기 위한 도구 또는 승리하기 위한 도구로 생각하는 '신체 소외'도 중요한 역기능이다.

심화문제

14 다음 중 스포츠의 사회적 기능에 해당하는 것으로 가장 적절한 것은?

① 상업주의　② 세계화　③ 분리주의　④ 체제유지 및 긴장해소

■ 체제유지 및 긴장해소는 스포츠의 사회적 순기능 중에서 사회통합 기능에 속한다.

정답　10 : ④, 11 : ④, 12 : ②, 13 : ④, 14 : ④

■사회정서적 기능은 개인의 정서를 순화시켜 부정적 행동을 예방하는 행동이다.

15 사회구성원의 긴장과 공격성을 해소해주는 기능에 해당하는 것은?

① 사회정서적 기능 ② 사회통제 기능
③ 사회화 기능 ④ 사회통합 기능

16 보기에서 설명하는 스포츠의 사회적 기능으로 적절한 것은?

> 보기
> 2002년 한일월드컵에서 한국축구대표팀은 4강 신화를 만들었다. 이 과정에서 성별, 연령에 관계없이 많은 국민들이 길거리 응원에 참가하며 국가에 대한 애착심과 소속감을 되새겼다.

■스포츠의 사회적 순기능(p. 3) 참조.

① 사회통합 ② 사회통제 ③ 신체소외 ④ 사회차별

17 보기에서 목표로 하고 있는 스포츠의 교육적 순기능은?

> 보기
> 미래중학교는 학생 상호간, 학생과 교사 간 교류가 줄어들면서 '우리'라는 공동체의식을 형성하지 못한 채 갈등을 겪고 있다. 미래중학교는 이러한 문제를 해결하기 위해 스포츠를 적극 활용하려고 한다.

■'우리'라는 공동체는 학교 내의 일이지 학교와 지역사회 간의 일은 아니다.

① 학교 내 통합 ② 학업활동 촉진
③ 평생체육의 여건 형성 ④ 학교와 지역사회의 통합

■파슨즈(T. Parsons)의 AGIL 모형
· 적응 : 스포츠가 사회구성원들이 현실에 적응할 수 있도록 사고 감정 · 행동 · 양식 등을 학습시킨다.
· 목표달성(목표성취) : 스포츠가 정당한 경쟁을 통하여 목표를 달성하도록 한다. 경쟁을 통해 달성된 목표를 가치와 의미가 있는 것으로 본다.
· 통합(사회통합) : 스포츠는 사회구성원들 간의 유대를 강화하고, 조직의 일체감을 조성한다.
· 체제유지 및 긴장해소(체제유지 및 관리) : 스포츠는 전체 사회의 규범과 가치를 개인에게 학습시켜 순응하게 한다.

필수문제

18 보기에서 스포츠의 사회적 기능을 설명한 파슨즈(T. Parsons) AGIL 모형의 구성요소는?

> 보기
> » 스포츠는 사회구성원에게 현실에 적합한 사고, 감정, 행동양식 등을 학습할 수 있는 장을 마련해준다.
> » 스포츠는 개인의 체력 및 건강증진을 도모하여 효율적으로 사회활동에 참여할 수 있게 한다.

① 적응 ② 목표성취 ③ 사회통합 ④ 체제유지 및 관리

심화문제

19 파슨즈(T. Parsons)의 AGIL 모형에 근거한 스포츠의 사회적 기능으로 적절하지 않은 것은?

① 적응 ② 통합 ③ 목표성취 ④ 상업주의

정답 15 : ①, 16 : ①, 17 : ①, 18 : ①, 19 : ④

필수문제

20 보기에서 설명하고 있는 스포츠의 사회적 기능은?

보기
» 정치인들이 국민의 스포츠에 대한 관심을 증대시켜 정치적 무관심을 유도한다.
» 정치인들이 스포츠 경기를 자신의 이익이나 권력을 공고히 하는 데 이용한다.

① 사회통제 기능 ② 사회통합 기능
③ 사회소외 기능 ④ 사회정서 기능

■ 일반 국민들에게 좋지 않은 것은 사회통제이고, 좋은 것은 사회통합이다.

심화문제

21 스포츠의 사회적 순기능으로 적절하지 않은 것은?

① 사회통합 기능 ② 사회화 기능 ③ 사회통제 기능 ④ 사회정서적 기능

■ 스포츠의 사회적 순기능은 사회성 함양, 사회통합, 여가선용, 건강유지, 경제발전이다.
■ 사회통제 기능은 스포츠의 사회적 역기능이다.

22 교육현장에서 스포츠의 역기능에 관한 설명으로 옳지 않은 것은?

① 비과학적 훈련 방법은 학생선수를 혹사시킨다.
② 승리지상주의 심화로 인해 교육목표를 결핍시킨다.
③ 참여기회의 제한으로 장애인의 적응력을 배양시킨다.
④ 학교와 팀의 성공을 위해 학생선수의 의도적 유급, 성적 위조 등을 조장한다.

■ 장애인의 적응력 배양은 스포츠의 순기능이다.

필수문제

23 구조기능주의 사회이론과 스포츠에 대한 설명이다. 잘못된 것은?

① 인간의 신체는 여러 기관들이 하나의 구조를 이루고 있고, 각 구조체들이 제 기능을 다 해야 건강을 유지할 수 있다.
② 마찬가로 사회는 경제, 종교, 교육, 정치, 스포츠 등이 하나의 구조를 이루고 있고, 각 구조체들이 각각의 기능을 수행함으로써 사회 유지에 기여하고 있다.
③ 스포츠의 긍정적인 측면만 강조하고 있다는 비판을 받고 있다.
④ 개인의 가치와 역량을 존중하는 이론이다.

■ 구조와 구조체의 기능을 강조하기 때문에 개인의 가치와 역량은 무시하는 경향이 많은 이론이다.

심화문제

24 다음 중 스포츠가 사회의 항상성 유지와 존속에 기여한다고 주장하는 사회이론은?

① 구조기능론 ② 상징적 상호작용론
③ 갈등이론 ④ 비판이론

■ 이 사회를 구성하고 있는 각 구조체들이 제각각의 역할을 잘 해야 사회가 유지될 수 있다는 것이 구조기능론이다.

정답 20 : ①, 21 : ③, 22 : ③, 23 : ④, 24 : ①

■**구조기능주의 이론**은 스포츠의 장점을 주로 강조하고, 갈등이론은 스포츠의 단점을 주로 내세운다고 생각하면 쉬울 것이다.

25 구조기능주의 이론에 바탕을 둔 스포츠의 사회적 기능으로 바르지 않은 것은?

① 체제유지 및 긴장처리 ② 목표성취

③ 사회통합 ④ 신체적 소외

필수문제

26 갈등이론과 스포츠에 관한 설명이다. 옳지 못한 것은?

① 모든 사회제도는 지배집단이 자신들의 기득권을 유지하기 위한 도구로 만든 것이다.

② 스포츠도 스포츠 지배집단의 현상 유지를 위한 도구이다.

③ 개인이 스포츠를 통해서 얻는 즐거움, 활력, 삶의 의미 등을 설명하지 못한다.

④ 경제적 관점을 간과하고 주체로서의 개인을 존중한다.

■**갈등이론**은 경제적 관점을 지나치게 강조하고, 주체로서의 개인을 간과하며, 오로지 투쟁 또는 갈등만을 강조하는 이론이다.

심화문제

27 보기에서 설명하는 이론은?

> 보기
> » 지배계급은 피지배계급을 억압하고 착취한다.
> » 재화의 불평등한 분배는 사회의 본질적 속성이다.
> » 스포츠는 일부 지배계급에 의해 그들의 이익을 증대 시키는 데 이용된다.

① 갈등 이론 ② 상징적 상호작용론

③ 비판 이론 ④ 구조기능주의 이론

■보기는 갈등이론에 대한 설명이다(p. 4 참조).

필수문제

28 보기의 내용과 관련이 깊은 사회학 이론은?

> 보기
> » 미시적 관점의 이론이다.
> » 인간은 사회제도나 규칙에 대해 능동적으로 사고하고 의미를 부여하며 행동한다.
> » 스포츠 팀의 주장은 리더십이 필요하기 때문에 점차 그 역할에 맞는 리더십을 발휘한다.

① 갈등이론 ② 교환이론

③ 상징적 상호작용론 ④ 기능주의이론

■보기는 상징적 상호작용론에 대한 설명.
■갈등이론 : 26번 문제 해설 참조
■기능주의 이론 : 25번 문제 해설 참조
■**교환이론** : 인간의 모든 행위는 비용 또는 투자와 보상을 교환함으로써 성립된다는 이론임.

정답 25 : ④, 26 : ④, 27 : ①, 28 : ③

02 Chapter 스포츠와 정치

스포츠의 정치적 속성

에이츤(Eitzen, D.)과 세이지(Sage, G.)는 스포츠의 정치적 속성을 다음과 같이 설명하였다.

대중성 및 선전효과(대표성)	스포츠경기에서 행하는 의식은 후원기관에 대한 충성심을 상징적으로 재확인시키는 기능이 있다. 올림픽이나 국제경기의 성적은 각 나라의 정치적 · 경제적 · 문화적 · 군사적 우월성을 나타내는 수단이 된다.
조직화 및 체계화로 인한 권력투쟁	선수와 구단주 간, 경쟁리그 간, 행정기구 등의 조직이 점차 조직화 · 체계화되어가는 과정에서 권력으로 인한 권력투쟁이 존재한다.
정치적 표현성	스포츠와 정치의 결합을 정부기관이 관여할 때 확실히 드러나는데, 경쟁에서 승리한 집단은 우월성 및 혜택을 받게 된다.
질서와 법의 표본(보수성)	스포츠는 보수적인 성향이 있어서 현상황을 지속하려는 경향이 있을 뿐만 아니라 스포츠경기에 수반되는 애국심은 정치체제와 법을 더욱 강화시키는 역할을 한다.

스포츠와 정치의 관계

- 스포츠 조직화할 때 조직과정에서 전력 배분
- 스포츠를 통한 정치와 외교의 상호작용
- 스포츠를 통한 정치 · 경제 · 문화적 우월성 표출
- 스포츠조직 · 기구의 조세 감면계획

스포츠의 정치적 기능

순기능	역기능
» 국민을 통합하고 체제의 안정성을 도모할 수 있다. » 외교적 소통의 창구 역할을 할 수 있다. » 사회성원들을 정치적으로 사회화시키고, 사회적 가치를 배우고 전승하게 한다. » 생산성을 증대시킨다. » 사회운동의 수단으로 이용할 수 있다.	» 국가 간 정치적 이데올로기의 충돌을 초래할 수 있다. » 지배권력의 형성 및 유지를 위한 정당성을 부여한다. » 국수주의적 배타성을 조장시킬 수 있다.

스포츠를 정치에 이용하는 방법

상징	선수들의 유니폼에 부착된 국기 또는 지역명은 선수들이 국가 또는 지역의 대표라는 것을 상징한다.
동일화	대중이 선수나 팀을 자신과 일체화시키고 스포츠 경기에 몰입하며 승리에 대한 기대감을 갖는다.
조작	정치적 목적을 달성하기 위해서 선동적 행위를 조작하고, 국가적인 문제에 대한 대중의 관심을 스포츠로 돌린다.

1 정치제도의 발전과 스포츠 특성의 변화

Almond와 Powell(1996)은 정치제도의 발전 단계를 세속성 · 자치성 · 구조적 분화의 수준에 따라 다음과 같이 구분하였다.

원시정치제도	신에게 제사를 지내고 신체적 우월성을 과시하기 위한 수단으로서의 스포츠였다(중세 봉건시대 이전의 정치제도를 칭함).
봉건정치제도	특권계급의 전유물로서의 스포츠, 병사 훈련용으로서의 스포츠
근대정치제도	스포츠활동을 인간의 기본권으로 인식. 사회를 통합하고 사회질서를 유지하는 데에 이용

2 스포츠 정책의 개념

☞ 스포츠 발전을 목표로 국가가 주도적으로 스포츠정책을 시행한다.

☞ 스포츠의 가치 및 이념의 확산, 스포츠의 대중화 등을 위한 재정적 · 행정적 자원을 확보하기 위하여 스포츠정책을 시행한다.

☞ 국민 복지를 실현하는 수단으로 스포츠 정책을 시행한다.

☞ 국민들로부터 정치적 동의를 구하고, 정부의 지배 이데올로기를 강화할 목적으로 스포츠 정책을 펴나간다.

3 국내 정치에서 정치가 스포츠에 개입하는 이유

⊗ 국민 건강증진과 여가기회 제공

⊗ 사회질서의 유지 및 보호

⊗ 국가 및 지역사회 경제발전의 촉진

⊗ 정치인, 정당 또는 정부의 지지 확보

4 국제정치에서 스포츠 역할(기능)의 양면성

⊗ 외교적 승인 및 친선 ↔ 외교적 항의

⊗ 국위선양 ↔ 이데올로기 및 체제 선전의 수단

⊗ 국가 간의 이해 및 평화 증진 ↔ 갈등 또는 전쟁의 촉매

올림픽과 국제정치

1 올림픽이 정치화된 원인

ⓐ 민족주의의 심화 ⓐ 상업주의의 팽창 ⓐ 정치권력의 강화

2 올림픽에 있었던 정치적 행위

정치체제의 선전	베를린올림픽에서 나치 체제 선전
정치적 이슈의 쟁점화	멕시코올림픽에서 인종차별에 항의
선수들의 안전 위협	뮌헨올림픽에서 이스라엘 선수단 사망
집단 항의	몬트리올올림픽에 아프리카 국가들이 불참
이념 대립의 표출	모스크바올림픽에 서방 국가들이 참가 거부

스포츠와 남북 관계

기 간	내 용
1990	평양과 서울에서 남북통일축구대회 개최
1991	일본 지바에서 열린 세계탁구선수권대회에 단일팀으로 출전 포르투갈에서 열린 세계청소년축구대회에 단일팀으로 출전
1999	평양과 서울에서 남북통일농구대회 개최 평양에서 남북노동자축구대회 개최
2000	평양에서 남북통일탁구대회 개최 시드니올림픽 개회식 남북한 공동 입장
2001	평양에서 남한의 태권도시범경기 공연 서울에서 북한의 태권도시범경기 공연
2002	태권도시범단 교환 평양 개최 태권도시범단 교환 서울 개최 부산아시안게임 남북한 개폐회식 공동 입장 남북 통일축구경기 대회
2003	제22회 대구하계유니버시아드 남북태권도 교류 협의 및 대구하계유니버시아드 참관 2003년 제주에서 민족평화통일축전 개최
2004	아테네하계올림픽경기대회 공동입장
2005	제4회 마카오동아시아경기대회 공동입장
2006	도하하계아시아경기대회 개 · 폐회식 공동입장
2018	평창동계올림픽 남북 공동입장 평창동계올림픽에 북한 선수단, 응원단, 예술공연단 파견 평창동계올림픽 여자아이스하키 단일팀 출전 스웨덴 할름스타드세계탁구선수권대회 남북 단일팀 구성 자카르타 팔렘방아시아경기대회 남북 공동입장 및 남북 단일팀 구성

필수 및 심화 문제

필수문제

01 다음 스포츠의 정치적 기능 중에서 다른 셋과 다른 기능은?

① 국가의 대외적인 이미지와 위상을 제고한다.
② 지배권력의 형성 및 유지를 위한 정당성을 부여한다.
③ 국민을 통합하고 체제의 안정성을 도모할 수 있다.
④ 사회성원들을 정치적으로 사회화시키고, 사회적 가치를 배우고 전승하게 한다.

▪ ①, ③, ④는 정치적 순기능이고, ②는 정치적 역기능이다.

심화문제

02 스포츠의 사회통합 기능에 해당되는 것은?

① 스포츠는 성, 연령, 계층과 관계없이 사회적 소통을 촉진한다.
② 스포츠는 신체적, 정신적 스트레스를 해소시킨다.
③ 스포츠는 규칙을 준수하고 바람직한 인격을 형성한다.
④ 스포츠는 공격성, 긴장감, 좌절감을 효과적으로 방출시킨다.

▪ 성 · 연령 · 계층에 관계없이 사회적 소통을 촉진하는 것이 사회통합기능이다.

03 다음 설명 중 스포츠의 정치화 과정에 대하여 설명한 것은?

① 스포츠 참가자는 특정 집단을 대표하는 경향이 있다.
② 현대의 스포츠조직이 관료화되기 때문에 정치적 색채를 나타낸다.
③ 정치적 상황이 특정 경기에 영향을 미친다.
④ 스포츠가 국민의 정체성 형성에 큰 영향을 미친다.

▪ 스포츠의 정치적 속성(p. 11) 참조

필수문제

04 보기에서 설명하는 에티즌(D, Eitzen)과 세이지(G. Sage)가 제시한 스포츠의 정치적 속성은?

보기
» 스포츠 경기에 수반되는 의식과 행동은 선수의 충성심을 상징적으로 재확인하는 것에 목적이 있다.
» 스포츠 조직은 구호, 응원가, 유니폼, 마스코트 등의 상징을 통해 조직에 대한 선수의 충성심을 지속시키거나 강화한다.

① 보수성 ② 상호의존성 ③ 대표성 ④ 권력투쟁

▪ 보기는 스포츠의 정치적 속성 중 대표성을 뜻하는 내용이다(p.11 참조).

정답 01 : ②, 02 : ①, 03 : ②, 04 : ③

심화문제

05 에티즌(D. Eitzen)과 세이지(G. Sage)가 제시한 스포츠의 정치적 속성이 아닌 것은?

① 보수성 ② 대표성 ③ 권력투쟁 ④ 상호배타성

■ 에티즌과 세이지가 제시한 정치적 속성 : 대표성(대중성 및 선전효과), 권력투쟁(조직화 및 체계화로 인한), (정치적) 대표성, 보수성(질서와 법의 표본)

06 스포츠의 정치적 속성에 대한 설명이다. 옳지 못한 것은?

① 스포츠경기에서 거행되는 의식은 후원기관에 대한 충성심을 재확인시킨다.
② 스포츠와 정치가 밀접한 관계를 갖는 것은 스포츠의 제도적 특성 때문이다.
③ 스포츠경기에 정부기관이 개입되었을 때 스포츠의 정치적 속성이 명백하게 드러난다.
④ 스포츠와 정치는 서로 대립하는 관계를 형성하려고 노력한다.

■ 스포츠와 정치는 구성적 요소와 상호작용 요소가 서로 비슷하므로 태생적으로 서로 결합하려는 속성이 있다.

07 국가 수준에서 스포츠와 정치의 관계를 설명한 것이다. 옳지 않은 것은?

① 국가수준에서도 스포츠와 정치가 상호 역동적인 영향을 미친다.
② 지역사회 수준보다 국가 수준에서 스포츠가 정치에 미치는 영향이 더 두드러진다.
③ 스포츠가 사회통합을 하는 역할도 한다.
④ 스포츠가 다른 나라와 외교관계를 맺는 데에 중요한 역할을 할 수도 있다.

■ 스포츠행사는 지역주민의 자발적인 참여로 이루어지는 경우가 대부분이기 때문에 스포츠가 정치에 미치는 영향은 지역사회 수준이 더 크다.

필수문제

08 보기에서 정치가 스포츠를 이용하는 방식을 바르게 연결한 것은?

보기
㉠ 경기에 앞서 국가연주, 국기에 대한 경례 등의 의식을 갖는다.
㉡ 대중은 선수나 팀을 자신과 일치시키는 태도를 형성한다.
㉢ 정치인의 비리, 부정 등을 은폐하기 위해 스포츠를 이용한다.

① ㉠동일화 ㉡상징 ㉢조작 ② ㉠상징 ㉡조작 ㉢동일화
③ ㉠조작 ㉡동일화 ㉢상징 ④ ㉠상징 ㉡동일화 ㉢조작

■ 스포츠가 정치를 이용하는 방법은 **상징**(유니폼에 국기 또는 지역 이름 부착), **동일화**(대중이 팀이나 선수를 자기와 일체화시킴), **조작**(상징과 조작을 극대화하기 위하여 인위적으로 개입하는 것)이다.

심화문제

09 정치의 스포츠 이용 방법에 관한 설명 중 옳은 것은?

① 태권도를 보면 대한민국 국기(國技)라는 동일화가 일어난다.
② 정부의 3S(sports, screen, sex) 정책은 스포츠를 이용하는 상징의 대표적인 방법이다.
③ 스포츠 이벤트에서 국가 연주, 선수 복장, 국기에 대한 의례 등은 상징의식에 해당한다.
④ 올림픽에서 금메달 수상 장면을 보면서 내가 획득한 것처럼 눈물을 흘리는 것은 상징화에 해당한다.

■ ① : 상징
■ ② : 조작
■ ④ : 동일화

정답 05 : ④, 06 : ④, 07 : ②, 08 : ④, 09 : ③

10 다음은 스포츠를 정치에 이용하는 방법을 설명한 것이다. 잘못 설명한 것은?

① 상징 : 선수들의 유니폼에 부착된 국기 또는 지역명은 선수들이 국가 또는 지역의 대표라는 것을 상징한다.
② 동일화 : 대중이 선수나 팀을 자신과 일체화시키고 스포츠 경기에 몰입하며 승리에 대한 기대감을 갖는다.
③ 조작 : 정치적 목적을 달성하기 위해서 선동적 행위를 조작하고 효율성을 강조한다.
④ 사회통합 : 정치, 경제, 사회 등 국가적인 문제에 대한 대중의 관심을 스포츠로 돌린다.

■ 사회성원들을 사회화시키고, 사회적 가치를 배우고 전승하게 하는 것이 사회통합이다.

11 다음 중 스포츠를 정치적으로 이용하는 방법이 아닌 것은?

① 상징 ② 동일화 ③ 조작 ④ 조직화

■ 상징 · 동일화 · 조작이 스포츠를 정치에 이용하는 방법이다.

12 정치가 스포츠를 이용하는 방법을 올바르게 제시한 것은?

① 조작, 통합, 사회화 ② 조작, 상징, 동일화
③ 상징, 조직화, 억압 ④ 통합, 조직화, 영웅화

■ 스포츠의 정치적 속성(p. 11) 참조

필수문제

13 정치의 스포츠 이용방법은 일련의 과정을 거쳐 발현되는데, 다음 설명 중 옳지 않은 것은?

① 상징은 직접 자각할 수 없는 의미나 가치 등을 유사적인 표현을 사용해 구상화하는 것을 의미한다.
② 상징의 과정을 통해 대중은 선수나 팀을 자신과 일체시킨다.
③ 상징과 동일화의 효과를 극대화하기 위한 행위는 조작이다.
④ 상징, 동일화, 조작은 일련의 과정이지만 동시다발적으로 발생하기도 한다.

■ 선수나 팀을 자신과 일체시키는 것은 동일화과정이다.

심화문제

14 정치가 스포츠를 이용하는 방법 중 보기의 사례에 해당하는 것은?

> 보기
> 스포츠에 참여하는 선수나 팀이 스포츠 경기 자체를 뛰어넘어 특정 집단을 대리 또는 대표하는 것으로 의미가 확장되는 과정을 일컫는다.

① 상징화 ② 동일화 ③ 조작화 ④ 우민화

■ 스포츠를 정치에 이용하는 방법(p. 12) 참조

정답 10 : ④, 11 : ④, 12 : ②, 13 : ②, 14 : ①

필수문제

15 Almond와 Powell이 정치제도의 발전단계를 3단계로 구분하고, 각 단계에서 스포츠의 특성을 설명한 내용이 아닌 것은?

① 원시정치제도 : 신체적 우월성을 과시하기 위한 수단으로서의 스포츠
② 부족정치제도 : 신에게 제사를 지내는 수단으로서의 스포츠
③ 봉건정치제도 : 특권계급의 전유물로서의 스포츠
④ 근대정치제도 : 스포츠활동을 인간의 기본권으로 인식

■ 중세 봉건시대 이전의 정치제도를 한꺼번에 묶어서 원시정치제도로 분류했다(p. 12 참조).

필수문제

16 스포츠정책과 관련된 내용이다. 잘못 설명한 것은?

① 스포츠 발전을 목표로 하는 국가 주도의 시책이 스포츠정책이다.
② 스포츠의 가치 및 이념의 확산, 스포츠 대중화 등을 위한 재정적 · 행정적 자원 확보와 분배의 과정이다.
③ 국민의 건강증진, 여가기회의 제공 등 국민 복지를 실현하는 수단으로 스포츠 정책을 시행한다.
④ 국민의 호감을 유도하여 정치적 동의를 구하고, 정부의 지배이데올로기를 강화할 목적으로는 스포츠 정책을 시행하지 않는다.

■ 정부의 지배이데올로기를 강화하기 위하여 스포츠정책을 시행한다.

심화문제

17 스포츠정책에 대한 설명 중에서 옳지 못한 것은?

① 정부는 스포츠의 분야별 균형발전을 실현할 수 있는 정책을 시행한다.
② 스포츠 정책은 국민 복지의 실현과 이데올로기를 강화하는 수단이라는 양면성이 있다.
③ 스포츠 기구의 규모를 확대하기 위해서 스포츠 정책을 시행한다.
④ 스포츠 발전을 목표로 하는 정부의 시책이다.

■ 스포츠기구의 규모와 스포츠정책은 관련이 없다.

18 스포츠정책과 정치에 대한 설명으로 적절하지 않은 것은?

① 국가는 스포츠정책을 통해 스포츠에 개입한다.
② 냉전시대 국가의 국제스포츠정책은 스포츠를 통한 상업주의 팽창에 초점이 맞춰졌다.
③ 스포츠는 상징, 동일화, 조작의 과정을 통해 정치적 기능이 극대화된다.
④ 정부는 의료비 지출을 줄이고 산업생산력을 향상시키기 위해 스포츠에 관여한다.

■ 냉전시대에는 체제와 이념 선전에 골몰하였다.

정답 15 : ②, 16 : ④, 17 : ③, 18 : ②

■ 훌리한이 제시한 정부가 스포츠에 개입하는 목적
· 공공질서 보호
· 체력과 신체능력 보호
· 집단 · 공동체 · 국가의 위신과 힘 증진
· 동일성 · 소속감 · 통일성의 의미 증진
· 지배적 이데올로기와 함께 일관된 가치 강조
· 경제성장 촉진

필수문제

19 훌리한(B. Houlihan)이 제시한 정부(정치)가 스포츠에 개입한 목적에 해당하지 않는 것은?

① 시민들의 건강 및 체력유지를 위해 반도핑 기구에 재원을 지원한다.
② 스포츠 현장에서 인종차별을 해소하기 위해 Title IX 법안을 제정했다.
③ 게르만족의 우월성을 강조하기 위해 1936년 베를린 올림픽을 개최하였다.
④ 공공질서를 보호하기 위해 공원에서 스케이트보드 금지, 헬멧 착용 등의 도시 조례가 제정되었다.

심화문제

20 정부가 스포츠에 개입하는 이유가 아닌 것은?

① 스포츠가 국민의 건강 증진과 여가 기회를 제공하는 역할을 하기 때문에
② 정부 또는 정치가에 대한 지지기반을 확보하기 위해서
③ 스포츠가 강력한 조직을 가졌기 때문에
④ 스포츠를 통해서 사회통합을 효과적으로 할 수 있기 때문에

21 국가가 스포츠에 개입하는 원인에 해당되지 않는 것은?

① 국민 여가기회 제공
② 경기규칙의 선진화
③ 국민 건강증진
④ 정부에 대한 지지 확보

22 국내 정치에서 정치가 스포츠에 개입하는 원인이 아닌 것은?

① 국민 건강증진과 여가기회 제공
② 사회질서의 유지 및 보호
③ 국가 및 지역사회 경제발전의 촉진
④ 정치인, 정당 또는 정부의 재정 확보

■ 재정 확보가 아니라 지지를 얻기 위해 정치가 스포츠에 개입한다.

필수문제

23 국제정치에서 스포츠의 역할 또는 기능의 양면성을 짝지은 것들이다. 잘못 짝지어진 것은?

① 외교적 승인 및 친선 : 외교적 항의
② 국위선양 : 이데올로기 및 체제의 선전
③ 국가 간의 이해 및 평화 증진 : 갈등 또는 전쟁의 촉매
④ 정치체제의 강화 : 통상 확대

■ 정치체제의 강화와 통상 확대는 서로 반대되는 개념이 아니다.

정답 19 : ②, 20 : ③, 21 : ②, 22 : ④, 23 : ④

필수문제

24 국제정치에서의 스포츠 역할 중 보기의 설명에 해당하는 것은?

보기
2018 평창동계올림픽에서 남북한 여자 아이스하키단일팀이 구성되었으며, 이를 계기로 그동안 중단되었던 남북교류가 다시 활성화되고 있다.

① 외교적 항의 ② 국가 경제력 표출
③ 외교적 친선 및 승인 ④ 갈등 및 전쟁의 촉매

■ 보기는 단절된 남북한의 상류 교류를 통한 국제적 이해를 바탕으로 하는 외교적 친선 및 승인에 관한 내용이다.
■ 외교적 항의 : 국제적 갈등 국면에서 경기 불참 등으로 국제 스포츠경기에 항의 의사를 전달하는 것.
■ 국가경제력 표출 : 대형 이벤트 유치를 통한 인프라구축과 경제 발전을 유도하여 개최 국가의 경제력을 과시하는 것.
■ 갈등 및 전쟁의 촉매 : 스포츠는 국제 관계에서 각국의 이해 충돌로 인한 갈등 초래 및 전쟁 촉매

심화문제

25 올림픽이 정치화된 원인 중에서 가장 옳은 것은?

① 정치권력의 강화, 상업주의의 팽창, 외교적 갈등의 확대
② 상업주의의 팽창, 정치권력의 강화, 민족주의의 발현
③ 승리제일주의의 팽창, 상호호혜원칙의 적용, 올림픽정신의 세계화
④ 국제교류의 확대, 올림픽정신의 세계화, 국가주의의 발현

26 보기에서 올림픽 경기가 정치화된 요인을 모두 고른 것은?

보기
㉠ 민족주의 심화 ㉡ 정치권력 강화 ㉢ 상업주의 팽창 ㉣ 페어플레이 강화

① ㉠ ② ㉠, ㉡ ③ ㉠, ㉡, ㉢ ④ ㉠, ㉡, ㉢, ㉣

■ 페어플레이 강화는 올림픽이 정치화된 요인과 관계가 없다.

필수문제

27 국제사회에서 발생한 스포츠 사건에 관한 설명으로 옳은 것은?

① 남아프리카 공화국은 아파르트헤이트(apartheid)로 인해 국제대회 참여가 거부되었다.
② 구소련의 아프가니스탄 침공을 이유로 1984년 LA올림픽경기대회에 많은 자유 진영 국가가 불참하였다.
③ 2018년 평창동계올림픽경기대회에서 메달 획득을 위해 여자 아이스하키 남북 단일팀이 결성되었다.
④ 1936년 베를린올림픽경기대회에서 검은구월단 무장단체가 선수촌에 침입하여 이스라엘 선수를 살해하였다.

■ ① 아파르트헤이트 : 남아프리카 공화국의 극단적인 인종차별 정책. 이 정책이 철폐될 때까지 올림픽월드컵 등의 국제대회 참여가 거부됨.
■ ② 구 소련의 아프가니스탄 침공 : 미국이 1980년 모스크바 올림픽 불참
■ ③ 2018년 평창동계올림픽 : 국제 이해와 평화에 기여하기 위해 남북 단일팀 구성
■ ④ 검은구월단 사건 : 1972년 뮌헨올림픽에서 발생

정답 24 : ③, 25 : ②, 26 : ③, 27 : ①

심화문제

28 보기의 내용에 공통적으로 해당하는 스포츠의 정치적 이용 방식은?

> 보기
> » 남아프리카공화국의 인종차별정책에 반대하는 많은 국가들이 남아프리카공화국에서 개최된 국제대회에 불참하였다.
> » 구소련의 아프가니스탄 침공을 문제 삼아 미국을 비롯한 서방국가들이 1980년 모스크바 올림픽경기대회에 불참하였다.

① 국제 평화 증진　　② 체제 선전의 수단
③ 전쟁의 촉매　　④ 외교적 항의

29 역대 올림픽 경기에서 정치가 영향을 미친 사례에 대한 설명으로 옳지 않은 것은?

① 베를린올림픽(1936년) : 히틀러 정부는 나치의 민족우월주의를 선전하였다.
② 뮌헨올림픽(1972년) : 팔레스타인 테러리스트들은 이스라엘 선수들을 살해하였다.
③ 모스크바올림픽(1980년) : 미국은 구소련의 아프가니스탄 침공에 항의하며 불참하였다.
④ LA올림픽(1984년) : 동유럽권 국가들은 구소련의 헝가리 침공에 항의하며 불참하였다.

■ 모스크바올림픽 때 미국과 서구권의 참가 거부에 대한 보복으로 소련 등 동구권 14개국이 출전을 거부한 것이 LA올림픽이다.

30 제11회 베를린올림픽에 대한 설명 중 옳은 것은?

① 나치의 이념과 게르만 민족의 우월성을 과시하기 위한 대회였다.
② 헝가리 침략에 항의하기 위해서 아랍국가가 불참하였다.
③ 이슬람 테러리스트들이 이스라엘 선수들을 학살하였다.
④ 소련의 아프가니스탄 침공을 항의하기 위해서 서방국가들이 불참하였다.

■ ②는 멜버른대회, ③은 뮌헨대회, ④는 모스크바대회였다.

31 올림픽게임이 정치화된 원인으로 적절하지 못한 것은?

① 민족주의의 심화　　② 상업주의의 팽창
③ 아마추어리즘의 퇴조　　④ 정치권력의 강화

■ 아마추어리즘의 퇴조는 올림픽게임이 상업화된 원인을 설명하는 것이다.

32 다음 중 스포츠 남북교류 역사상 남북 단일팀이 구성된 사례는 어느 것인가?

① 1988년 서울올림픽　　② 1991년 지바세계탁구선수권대회
③ 2014년 소치동계올림픽　　④ 2014년 인천아시안게임

■ 스포츠와 남북 관계 (p. 13) 참조

정답　28 : ④, 29 : ④, 30 : ①, 31 : ③, 32 : ②

03 Chapter 스포츠와 경제

현대 스포츠가 발전할 수 있는 사회적 밑거름이 되어준 요인들

산업화	여가시간이 증대하고 스포츠용품의 규격화(표준화)가 가능해졌다.
도시화	도시 노동자들의 스포츠에 대한 관심이 증가하였고, 인구가 밀집되어 있어서 프로 스포츠가 발전할 수 있는 기반이 되었다.
교통과 통신의 발달	교통의 발달로 지역 간의 스포츠 경기가 가능해졌고, 통신의 발달로 스포츠와 관련된 정보를 손쉽고 빠르게 얻을 수 있게 되었다.

1 상업주의적 스포츠가 성공적으로 발전하기 위해서 필요한 사회 · 경제적 환경

- ⓐ 자본주의적 시장경제 체제
- ⓐ 인구가 밀집되어 있는 도시
- ⓐ 경제적 여유가 있는 계층
- ⓐ 스포츠 기반시설을 구축할 수 있는 거대 자본
- ⓐ 소비를 중요시하고 물질적 가치를 강조하는 사회풍토

2 스포츠 관련 산업의 분류

- ⓐ 스포츠용품 제조업
- ⓐ 기념품 제조 및 판매사업
- ⓐ 스포츠 시설업
- ⓐ 스포츠 관광사업
- ⓐ 스포츠 커뮤니케이션

3 상업화에 따른 스포츠의 변화

스포츠 본질의 변화	아마추어리즘이 약화되고 스포츠가 직업화되었다.
스포츠 목적의 변화	경제적 이윤을 얻기 위해서 관중의 흥미를 유도하려고 노력한다.
스포츠 규칙(구조)의 변화	경기를 스피디하게 진행시키고, 득점이 쉽고 다양해지도록 변화되고 있다.
스포츠 조직의 변화	선수나 감독보다는 관리자나 스폰서의 의사결정권이 더 크다.
스포츠 가치체계의 변화	스포츠활동의 심미적 가치인 경기기술 · 전략 · 동작 · 노력 보다는 시설 · 분위기 · 스타선수의 쇼맨십과 같은 영웅적 가치를 더 지향하게 되었다.

4 프로스포츠 시장의 경제적 특성

희소성	몇몇 안 되는 경기력이 아주 뛰어난 선수들의 플레이를 볼 수 있다.
경쟁성	승리하기 위해서 열심히 경쟁한다.
미완성 제품(불확실성)	경기 결과가 불확실한 상태에서 소비자에게 판매된다.
독점성	프로스포츠의 리그경기는 반독점 규제가 없어서 독점적이다.
파생시장	다양한 파생시장을 만든다.
외부효과	비용을 부담하지 않은 다수의 제3자에게도 영향을 미친다.

프로스포츠의 기능

순기능	역기능
» 여가선용의 기회를 제공한다. » 지역사회를 활성화시키고 사회통합에 기여한다. » 관련 스포츠의 저변을 확대하고 아마추어 스포츠를 발전시킨다. » 경제활동을 촉진하고 스포츠의 대중화를 돕는다.	» 물질적 가치를 중시하여 물질만능주의에 빠질 우려가 있다. » 아마추어리즘을 퇴조시켜서 스포츠의 본질을 왜곡시킬 수도 있다. » 일부 인기종목에 편중되고, 인기가 없는 종목은 쇠퇴시킬 염려가 있다.

우리나라의 프로스포츠

1 우리나라 프로스포츠의 탄생

⊗ 1935년 조선권투연맹 창설

⊗ 1960년대 프로레슬링

⊗ 1982년 프로야구 창설

⊗ 1983년 한국민속씨름협회 창설

⊗ 1985년 프로축구 창설

⊗ 1996년 프로농구 창설

⊗ 2004년 프로배구 창설

☞ 우리나라의 프로구단은 구단의 이익창출을 목표로 하지 않고, 대기업들이 축적한 자본을 사회에 환원하는 도구로 인식되고 있다.

☞ 모기업의 이미지 제고 및 마케팅을 위한 도구적 역할을 하고 있다.

대형 스포츠이벤트의 효과

긍정적 효과	부정적 효과
» 대규모의 투자가 이루어지기 때문에 경제가 활성화 되고 고용이 촉진된다. » 관광산업의 경쟁력이 강화된다. » 국가의 이미지를 제고할 수 있다. » 국가 및 지역 간 교류가 확대된다. » 사회 기반시설이 확충된다. » 시민의식이 함양된다.	» 이익을 보는 계층과 손해를 보는 계층 사이에 갈등을 유발시킨다. » 대규모 예산을 투자해야 하기 때문에 조세부담이 늘고 경제적 위기를 초래할 수도 있다. » 환경오염, 교통 혼잡, 물가 상승 등 부정적인 외부효과가 생긴다. » 새로 건설한 스포츠 시설들이 경기 후 애물단지가 될 수도 있다. » 다른 분야에 투자할 수 있는 기회를 박탈하는 셈이다.

필수 및 심화 문제

필수문제

01 현대 스포츠가 발전할 수 있는 사회적 밑거름이 되어준 요인이 아닌 것은?

① 산업화 : 여가시간이 증대하고 스포츠용품의 규격화(표준화)가 가능해졌다.
② 도시화 : 도시노동자들의 스포츠에 대한 관심이 증가하였고, 인구가 밀집되어 있어서 프로 스포츠가 발전할 수 있는 기반이 되었다.
③ 교통과 통신의 발달 : 교통의 발달로 지역 간의 스포츠 경기가 가능해졌고, 통신의 발달로 스포츠와 관련된 정보를 손쉽고 빠르게 얻을 수 있게 되었다.
④ 국제화 : 국가 간의 스포츠교류가 활성화되었다.

■ 국제화되었기 때문에 현대 스포츠가 발전한 것이 아니라, 현대 스포츠가 발전하였기 때문에 국가 간의 스포츠교류가 활성화된 것이다.

심화문제

02 스포츠의 세계화로 일어난 변화 중에서 일부 유명 리그가 특정 종목의 시장을 장악하게 된 것을 가장 잘 표현한 것은?

① 스포츠시장의 확대　② 스포츠시장의 양극화
③ 스포츠시장의 표준화　④ 스포츠시장의 자유화

필수문제

03 상업주의적 스포츠가 성공적으로 발전하기 위해서 필요한 사회·경제적 환경이 아닌 것은?

① 자본주의적 시장경제 체제와 인구가 밀집되어 있는 도시
② 경제적 여유가 있는 계층과 스포츠 기반시설을 구축할 수 있는 거대 자본
③ 소비를 중요시하고 물질적 가치를 강조하는 사회풍토
④ 스포츠 활동을 통해서 정치적 권력이나 물질적 이득을 얻으려고 하는 성향

■ 스포츠활동을 통해서 정치적 권력을 얻으려는 성향은 사회 · 경제적 환경이 아니다.

심화문제

04 보기에서 괄호 안에 적합한 용어는?

> 보기
> 올림픽에서 (　　)을(를) 시행함으로써 IOC는 기업으로부터 금전 및 물자를 제공받고, 기업은 자사제품 광고 및 홍보에 올림픽 공식 로고와 휘장을 사용할 수 있는 권한을 얻는다.

① 독점방영권　② 자유계약 제도
③ 스폰서십(sponsorship)　④ 드래프트(draft) 제도

■ **스폰서십** : 기업이 스포츠대회 · 선수 · 환경 보호 캠페인 등에 일정한 비용을 지원함으로써 자사의 상품이나 이미지를 광고하는 마케팅

정답　01 : ④, 02 : ②, 03 : ④, 04 : ③

■ 선수발굴사업과 스포츠개발사업은 경제활동이 아니다.
■ 경기장 관리사업은 스포츠시설업에 포함되고, 스포츠복권은 개인이 할 수 있는 경제활동이 아니다.
■ 스포츠라이센싱사업은 팀의 로고나 경기장 명칭 등을 사용할 수 있는 권리를 대여하는 사업으로 기념품 제조 및 판매사업에 포함된다.

■ 스포츠의 상업화에 따른 변화
· 스포츠 본질의 변화
아마추어리즘의 약화, 스포츠의 직업화
· 스포츠 목적의 변화
경제적 이윤을 위한 관중의 흥미 유도
· 스포츠규칙의 변화
스피디한 경기진행과 쉽고 다양한 득점 방법
· 스포츠 조직의 변화
선수나 감독보다 관리자나 스폰서의 의사결정권이 큼
· 스포츠가치체계의 변화
시설·분위기·스타선수의 쇼맨십 등의 지향

■ 상업주의에 따라 득점방법이 다양화됨(예 : 농구의 3점 슛, 배구의 랠리 포인트제, 야구의 승부치기 등)

필수문제

05 **보기는 스포츠와 관련된 경제활동을 5가지로 분류한 것이다. (   ) 속에 들어갈 경제활동으로 가장 적합한 것은?**

보기
스포츠용품 제조산업 : (   ) : 스포츠시설업 : 스포츠관광사업 : (   )

① 스포츠커뮤니케이션 – 기념품 제조 및 판매사업
② 스포츠개발사업 – 선수발굴사업
③ 경기장관리사업 – 스포츠복권사업
④ 스포츠복권사업 – 스포츠라이센싱사업

필수문제

06 **보기에서 스포츠 상업화에 따른 변화를 모두 고른 것은?**

보기
㉠ 프로페셔널리즘 추구　　㉡ 심미적 가치의 경시
㉢ 직업선수의 등장　　㉣ 아마추어리즘의 강조
㉤ 스포츠조직의 세계화　　㉥ 농구 쿼터제 도입

① ㉠, ㉡, ㉢, ㉥　② ㉠, ㉢, ㉤, ㉥　③ ㉡, ㉢, ㉣, ㉤　④ ㉡, ㉣, ㉤, ㉥

심화문제

07 **보기에서 코클리(J. Coakley)가 제시한 상업주의와 관련된 스포츠 규칙 변화의 충족조건으로 옳은 것만을 모두 고른 것은?**

보기
㉠ 경기의 속도감 향상　　㉡ 관중의 흥미 극대화
㉢ 득점 방법의 단일화　　㉣ 상업적인 광고 시간 할애

① ㉠, ㉡　② ㉢, ㉣　③ ㉠, ㉡, ㉢　④ ㉠, ㉡, ㉣

08 **스포츠의 상업화에 따른 변화 중 보기의 사례에 해당하는 것은?**

보기
2013년 미국프로야구 LA 다저스와 신시내티 레즈의 경기에서 한국의 류현진 선수와 추신수 선수 간의 맞대결이 펼쳐지자 미국프로야구 사무국은 이 날을 코리안 데이로 지정하고 한국의 걸그룹 소녀시대를 초청하여 애국가를 제창하게 하였다. 이 외에도 미국프로야구 사무국은 각종 의전행사 및 경품행사를 개최하여 언론의 반응에 촉각을 곤두세웠다.

① 스포츠 기술의 변화　② 스포츠 규칙의 변화
③ 스포츠 조직의 변화　④ 선수, 코치의 경기 성향 변화

■ 스포츠의 상업화에 따른 변화
· 스포츠 본질의 변화
· 스포츠 목적의 변화
· 스포츠 규칙의 변화
· 스포츠 조직의 변화
· 가치체계의 변화
■ 보기는 스포츠 조직의 변화에 해당된다.

정답　05 : ①, 06 : ②, 07 : ④, 08 : ③

09 상업화에 따른 스포츠의 변화 중 관중의 흥미를 극대화하기 위한 구조(규칙)변화의 사례로 옳지 않은 것은?

① 배구의 랠리포인트 시스템　　② 농구의 공격시간 제한
③ 테니스의 타이브레이크 시스템　　④ 야구의 신생팀 창단 제한

■팀의 창단은 스포츠 규칙의 변화가 아니다.

10 스포츠의 상업화가 확대되면서 나타나는 경기성향의 변화를 잘못 설명한 것은?

① 쇼맨십의 필요성 증가로 영웅적 가치를 중시하게 되었다.
② 선수의 재능, 동작, 탁월성, 노력 등 심미적 가치를 중시하게 되었다.
③ 선수나 감독보다는 관리자나 스폰서의 의사결정권이 더 크게 되었다.
④ 관중의 흥미를 유도하려고 노력하게 되었다.

■스포츠의 상업화가 확대되면서 선수의 재능 · 노력 · 전략 등의 심미적 가치보다 시설 · 분위기 · 스타선수의 쇼맨십과 같은 영웅적 가치를 더 지향하게 되었다.

11 상업주의로 인한 스포츠의 변화 중 성격이 다른 하나는?

① 아마추어리즘의 퇴조　　② 득점체계의 다양화
③ 극적인 요소의 극대화　　④ 광고를 위한 경기시간 조정

■아마추어리즘의 퇴조는 스포츠의 본질이 변화한 것이고, 나머지는 스포츠의 본질과는 거리가 멀다.

12 상업주의 심화에 따른 스포츠의 변화에 대한 설명으로 적절하지 않은 것은?

① 심미적 가치보다 영웅적 가치를 중요시한다.
② 아마추어리즘보다 프로페셔널리즘을 추구한다.
③ 경기 내적인 요소보다 외적인 요소를 중요시한다.
④ 경기의 공정성을 강화하기 위해 경기 규칙을 개정한다.

■스포츠의 상업주의가 점점 심해지면 관중의 흥미를 유발하여 더 많은 이익을 얻기 위하여 경기규칙을 개정하게 된다.

13 다음은 스포츠의 상업화에 따른 변화를 설명한 것이다. 옳지 않은 것은?

① 스포츠 본질의 변화 : 아마추어리즘이 약화되고 스포츠가 직업화되었다.
② 스포츠 목적의 변화 : 참가하는 데에 의의를 두었던 것이 승리를 목적으로 하게 되었다.
③ 스포츠 규칙(구조)의 변화 : 경기를 스피디하게 진행시키고, 득점이 쉽고 다양해지도록 변화되고 있다.
④ 스포츠 조직의 변화 : 선수나 감독보다는 관리자나 스폰서의 의사결정권이 더 크다.

■경제적 이윤을 얻기 위해서 관중의 흥미를 유도하려고 노력하는 것이 스포츠 목적의 변화이다.
■그밖에 스포츠활동의 심미적인 가치인 경기기술 · 전략 · 동작 · 노력 같은 것보다는 시설 · 분위기 · 스타선수의 쇼맨십과 같은 영웅적 가치를 더 지향하는 것을 스포츠 내용의 변화 또는 스포츠 가치체계의 변화라고 한다.

14 상업주의 스포츠 출현 및 발전의 사회 · 경제적 조건에 해당되지 않는 것은?

① 인구의 고령화　　② 스포츠기반시설 구축을 위한 거대자본
③ 인구가 밀집되어 있는 도시　　④ 자본주의적 시장경제 체제

■상업주의와 인구의 고령화는 아무 관련이 없다.

정답 09 : ④, 10 : ②, 11 : ①, 12 : ④, 13 : ②, 14 : ①

필수문제

15 프로스포츠에서 시행되는 제도와 특징이 바르게 연결된 것은?

① 보류조항(reserve clause)-일정 기간 선수들의 자유로운 계약과 이적을 막아 선수단 운영비를 줄이기 위한 목적으로 도입되었다.
② 최저연봉제(minimum salary)-신인선수의 연봉협상력을 줄여 선수단 운영경비를 줄이기 위한 목적으로 도입되었다.
③ 샐러리 캡(salary cap)-선수 개인에게 지불할 수 있는 최대 연봉 상한선으로, 선수 간 연봉격차를 줄이기 위한 목적으로 도입되었다.
④ 트레이드(trade)-선수가 새로운 팀으로 이적하기 위해 구단에 요구할 수 있는 권리로, 구단은 특별한 사유가 없는 한 선수의 요구에 응해야 한다.

▪ **보류조항** : 다음 연도 선수 계약 체결 권리를 보류함으로써 자유로운 계약과 이적을 막는 조항. 재계약 대상 선수임.
▪ **샐러리 캡** : 한 팀이 선수들에게 지불할 수 있는 연봉의 상한선
▪ **트레이드** : 팀과 팀 사이에 선수를 교환하는 것

심화문제

16 보기에서 설명하는 프로스포츠의 제도는?

보기
올림픽에서 (   )을(를) 시행함으로써 IOC는 기업으로부터 금전 및 물자를 제공받고, 기업은 자사제품 광고 및 홍보에 올림픽 공식 로고와 휘장을 사용할 수 있는 권한을 얻는다.

① FA(free agent)　② 샐러리 캡(salary cap)
③ 드래프트(draft)　④ 최저연봉(minimum salary)

▪ 보기는 드래프트에 관한 설명임.
▪ **FA(자유계약)** : 일정 기간 소속팀에서 활동한 뒤에 다른 팀과 자유롭게 이적 계약을 할 수 있는 제도.
▪ **최저연봉제** : 신인 선수가 계약할 때 최저 연봉을 보장하는 제도

17 다음은 프로스포츠 시장의 경제적 특성을 설명한 것이다. 옳지 못한 것은?

① 희소성 : 프로스포츠 경기는 아주 드물게 개최된다.
② 경쟁성 : 승리하기 위해서 열심히 경쟁한다.
③ 미완성(불확실성) : 경기결과가 불확실한 상태에서 소비자에게 판매된다.
④ 독점성 : 프로스포츠의 리그경기는 반독점 규제가 없어서 독점적이다.

▪ 몇몇 안 되는 경기력이 뛰어난 선수들의 플레이를 볼 수 있는 것이 희소성이다.

필수문제

18 보기에서 프로스포츠의 순기능을 모두 고른 것은?

보기
㉠ 스포츠의 대중화　㉡ 생활의 활력소 역할
㉢ 지역사회 연대감 증대　㉣ 아마추어 스포츠의 활성화

① ㉠　② ㉠, ㉡　③ ㉠, ㉡, ㉢　④ ㉠, ㉡, ㉢, ㉣

▪ **프로스포츠의 순기능**
· 여가선용 기회제공
· 지역사회 활성화와 사회통합에 기여
· 스포츠 저변 확대
· 아마추어 스포츠 발전
· 경제 활동 촉진
· 스포츠의 대중화

정답 15 : ①, 16 : ③, 17 : ①, 18 : ④

심화문제

19 다음 중 프로스포츠의 순기능이 아닌 것은?

① 여가선용의 기회를 제공한다.
② 지역사회를 활성화시킨다.
③ 아마추어스포츠를 쇠퇴시킬 수도 있다.
④ 스포츠의 대중화를 돕는다.

■프로스포츠 때문에 아마추어스포츠가 발전하면 순기능, 쇠퇴하면 역기능이다.

20 프로스포츠의 순기능을 설명한 내용 중 적절한 것은?

① 스카우트 경쟁의 과열
② 스포츠 도박의 성행
③ 아마추어리즘의 퇴보
④ 스트레스 해소 및 생활의 활력

21 프로스포츠의 역기능을 설명한 것들이다. 잘못 설명한 것은?

① 상업적 목적을 달성하기 위해서 물질적 가치를 중시하여 물질만능주의에 빠질 우려가 있다.
② 아마추어리즘을 퇴조시켜서 스포츠의 본질을 왜곡시킬 수도 있다.
③ 일부 인기종목에 편중되고, 인기가 없는 종목은 쇠퇴시킬 염려가 있다.
④ 승부조작과 스포츠도박이 성행할 염려가 있다.

■승부조작은 범죄행위이지 프로스포츠의 역기능이 아니다. 스포츠도박은 합법적일 수도 있지만, 대부분 범죄행위와 연관되어 있기 때문에 사회적으로 문제가 되는 것이다.

필수문제

22 프로스포츠의 역기능이 아닌 것은?

① 우수선수의 스카우트 경쟁 심화
② 국민들의 사행심 감소
③ 스포츠의 물질만능주의 확대
④ 인기종목과 비인기종목의 불균형 초래

■<u>프로스포츠</u>의 역기능
· 물질만능주의 초래
· 아마추어리즘 퇴조
· 스포츠의 본질 왜곡
· 인기종목 편중
· 비인기종목 쇠퇴

■국민들의 사행심 감소는 프로스포츠의 역기능이 아니다.

필수문제

23 다음 중 대형 스포츠이벤트의 긍정적인 효과는?

① 정치세력의 권위 강화
② 개최지역 주민들을 위한 복지시설 확충
③ 개최도시의 인프라 구축 및 발전 촉진
④ 소음과 교통혼잡 등 생활에 불편을 초래한다.

■①와 ④는 부정적인 효과이고, ②는 복지예산이 오히려 줄어들 수밖에 없다.

심화문제

24 다음 중 대형 스포츠이벤트의 직접적인 효과는?

① 향토애 또는 애국심의 증진
② 지역주민의 민주의식 함양
③ 개최지의 이미지 및 브랜드 제고
④ 수출증가

■③을 제외한 나머지는 모두 간접효과 또는 파급효과이다.

정답 19 : ③, 20 : ④, 21 : ④, 22 : ②, 23 : ③, 24 : ③

04 Chapter 스포츠와 교육

스포츠의 교육적 순기능

1 전인교육

스포츠는 학생들에게 신체적·정신적·사회적으로 건강하게 성장할 수 있는 기회를 제공하는 학업활동 격려, 사회화 촉진, 정서순환과 같은 중요한 교육수단이다.

2 사회화 촉진

스포츠활동을 하면 동아리 같은 스포츠 조직 내에서 동료선수 · 선후배선수 · 지도자와의 상호작용을 통해서 스포츠맨십 · 팀워크 · 도전의식과 같은 긍정적인 가치를 학습하게 되기 때문에 사회화가 촉진된다.

3 사회통합

스포츠는 학교구성원 모두에게 공동목표를 제시하여 우리라는 공동체의식을 형성시켜 학교 내 통합을 유도하고, 스포츠 프로그램을 통해 지역사회의 관심을 환시시켜 학교와 지역사회의 통합을 이룬다.

4 사회선도

스포츠참여는 바람직한 성격형성·자기수양·경쟁활동에 대한 준비·도덕적 발달과 같은 훌륭한 시민정신을 함양하여 여권신장과 장애인의 적응력 배양, 평생체육 장려로 원만한 사회생활을 영위하게 한다.

스포츠의 교육적 역기능

스포츠의 효과는 칼의 양날과 같아서 스포츠를 잘하면 잘 이용하면 순기능이 나타나지만, 잘못 이용하면 다음과 같은 교육적 역기능이 나타날 수도 있다.

1 교육목표 결핍

승리에 집착한 나머지 스포츠의 교육적 본질을 망각하여 승리지상 주의에 빠질 수 있으며, 신체 및 기능이 우수한 소수에게 집중시키는 엘리트의식의 조장으로 참가기회가 제한될 수 있고, 여성의 스포츠참여에 대한 불평등으로 성차별이 유발될 수 있다.

2 부정행위 조장

승리에 대한 경제적 · 상징적 보상으로 인한 스포츠의 상업화, 성적위조 · 학교경영수단으로 선수이용과 같은 위선과 착취, 선수로 살아남기 위한 과도한 경쟁의식과 부도덕한 가치관 내재로 인한 일탈조장 등이 일어난다.

3 편협한 인간 육성

지도자가 팀의 성공을 위해 행사하는 절대적인 지도방식(독재적 코치)과 비인간적인 훈련으로 편협한 인간을 육성하게 된다.

우리나라 학교체육의 이해

1 학교체육의 개념과 가치

학교체육은 무엇보다도 학생들의 겉모습과 신체적 능력을 모두 건강하게 자라게 하고, 학생들의 인지적 · 정신적 · 감성적 발달을 도모함으로써 일상생활을 영위하는 데에 아무런 불편이 없도록 하는 데에 그 가치와 목적이 있다.

2 우리나라 학교체육의 분류

정과체육	교육과정 안에 정규적으로 편성되어 있는 수업시간을 의미한다.
학원스포츠	전문성을 갖춘 체육지도자(코치 또는 감독)를 영입하여 대회 참가 및 입상을 목표로 운영되는 학교운동부의 활동
클럽스포츠	동일 학교의 학생들로 구성 · 운영되는 스포츠동아리에서 실시하는 스포츠 활동

우리나라 학교체육의 문제점과 개선방안

1 정과체육의 문제점

열악한 시설과 환경	대부분의 학교에서는 체육시설과 용구가 부족하여 체육수업의 질을 올릴 수가 없다.
체육교사의 능력과 인식 부족	체육교사의 무관심과 능력부족 때문에 「아나 공」식의 체육수업이 이루어지고 있다. 중 · 고등학교의 체육교사가 모든 종목을 다 잘 지도할 수는 없으므로 자신이 잘 할 수 있는 종목만 지도하고 있는 실정이다. 초등학교의 여교사가 체육을 지도할 능력이 없거나 싫어서 체육시간을 다른 교과목으로 대체해버려도 별 수 없다.
보건교과의 신설	체육의 한 분야였던 보건이 새로운 교과목으로 독립됨에 따라서 체육 수업 시간이 단축되고 체육의 역할이 약화되었다.
체육과목에 대한 부정적인 인식	상급학교로 진학하는 입학시험이나 학력사정 과목에 체육이 없기 때문에 학생과 학부모는 물론이고 다른 과목 교사까지도 체육을 기타 교과목이라는 인식을 가지고 있는 사람이 많다.

2 정과체육의 개선방안

학교체육의 전문성 향상	초등학교에는 체육전담교사와 스포츠강사의 배치를 지속적으로 늘려서 초등학교의 여교사가 체육수업을 다른 수업으로 대체한다든지, 중 · 고등학교의 체육교사가 자신이 할 수 있는 한두 종목만 가르친다든지 하는 부작용을 해소하고 학교체육의 전문성을 향상시키려고 노력하고 있다.
학교스포츠클럽의 육성	학교스포츠클럽은 학교폭력과 성폭력을 예방하고, 학생들이 평생 운동을 할 수 있는 기본적인 스포츠 능력을 배양하는 것이 목적이다. 그러므로 학교마다 가능한 한 많은 수의 학교스포츠클럽을 육성하도록 적극적으로 장려하고 있고, 학교스포츠클럽 활동을 지원하기 위해서 스포츠강사 또는 자원봉사자를 적극적으로 활용하려고 노력하고 있다. 나아가 학교스포츠클럽의 육성을 의무화해서 일반학생들이 스포츠에 참여할 수 있는 기회를 확대하려고 노력하고 있다.
학생건강체력 평가제도의 도입	학생들의 건강 정도를 평가하고, 그 결과에 알맞은 운동을 처방하여 학생들이 운동을 생활화하도록 함으로써 건강을 증진하는 것이 목적이다. 심폐지구력, 유연성, 근력 및 근지구력, 순발력, 비만도(체질량지수) 등을 측정하여 평가하고 있다.
여학생 체육활동의 활성화	그동안 신체활동에 참여하는 정도가 여학생들이 남학생들보다 상대적으로 적었다. 이에 여학생들이 스포츠활동에 더 많이 참여하도록 유도하기 위하여 탈의실 · 샤워실 · 화장실 등을 확충하고, 여학생들에게 적당한 요가 또는 체력교실 등의 프로그램을 더 많이 운영하려고 노력하고 있다.

3 우리나라 학원스포츠(학교운동부)의 문제점

- 승리 지상주의에 빠질 염려가 대단히 크다.
- 학원스포츠(학교운동부) 활동은 몇몇 학생을 선발해서 할 수밖에 없다.
- 학생선수를 예외적인 학생, 반 평균을 깎아먹는 학생으로 인식하는 경우가 많다.
- 학교운동부 학생들의 경기력 향상과 진로가 전적으로 코치와 감독에게 매달려 있다.

4 우리나라 학원스포츠(학교운동부)의 개선방안

- 학생선수들의 학습권을 보장하기 위해서 최저학력제를 실시하고 있다. 초등학교의 경우 국어, 영어, 수학, 사회, 과학 등 5과목의 성적이 같은 학교 같은 학년 전체평균의 50%에 미치지 못하면 특별수업을 받아야 하고, 중학교는 국어, 영어, 수학, 사회, 과학 등 5과목의 성적이 같은 학교 같은 학년 전체평균의 40%, 고등학교는 국어, 영어, 수학 등 3과목의 성적이 같은 학교 같은 학년 전체평균의 30%에 미치지 못하면 특별수업을 받아야 한다.
- 공부하는 학생선수로 육성하기 위해서 학업성적이 미달하는 경우 운동부 활동을 제한하고, 합숙훈련을 근절시키고, 원거리 통학 시 기숙사를 제공한다.
- 학교운동부의 운영을 투명하게 하려고 노력하고 있으며, 학생선수의 입시비리를 척결하려고 노력하고 있다.
- 그밖에 학생선수의 인권을 보호하려고 스포츠인 권익보호센터를 운영하고 있다.

우리나라 학원스포츠 제도의 변화

우리나라 학원스포츠의 문제점을 해결하기 위하여 여러 가지 새로운 정책을 실시하는 것과 더불어 학교체육 제도 자체를 변경해서 더 근본적으로 문제점을 해결하려는 노력도 함께 기울이고 있다.

☞ 학교스포츠클럽 주말리그제의 도입

☞ 합숙훈련의 폐지

☞ 지도자의 신분 보장

☞ 일반학생 지원

» 학교체육 수업의 전문성을 향상시키기 위해서 스포츠 강사와 체육전담교사를 확보하려고 노력하고 있다.

» 일반학생들이 스포츠활동에 참여할 수 있는 기회를 확대하기 위해서 학교스포츠클럽을 육성하고, 그 종목 수를 늘리려고 노력하고 있다.

» 학생들의 체력을 평가하고 부족한 체력을 보충할 수 있는 대책을 마련하기 위해서 학생건강체력평가제(PAPS : Physical Activity Promotion System)를 실시하고 있다.

» 여학생들이 스포츠활동에 많이 참여하도록 유도하여 체육활동을 활성화하기 위해서 뉴 스포츠를 활용해서 흥미를 유발하고, 탈의실과 샤워실 등 여학생들에게 부족한 시설을 확충하고 개선하고 있으며, 요가와 피트니스 운동 등 여학생만을 대상으로 하는 신체활동 프로그램을 대폭적으로 늘려나가고 있다.

필수 및 심화 문제

필수문제

01 보기에서 설명하는 스포츠의 교육적 순기능은?

보기
» 스포츠 참여를 통해 생애주기에 적합한 스포츠를 즐길 수 있는 습관을 형성할 수 있다.
» 학교에서의 스포츠 경험은 개인이 전 생애에 걸쳐 스포츠를 즐길 수 있는 토대를 마련해준다.

① 학업활동 촉진 ② 정서 순화
③ 학교 내 통합 ④ 평생체육과의 연계

■ 스포츠의 교육적 순기능은 전인교육 도모, 본능적 욕구충족, 사회성 함양, 바람직한 성격 형성, 사회통합, 여가선용, 욕구불만 해소 등이다.

심화문제

02 스포츠의 교육적 순기능 중 사회선도 기능이 아닌 것은?

① 여권신장 ② 학교 내 통합
③ 평생체육과의 연계 ④ 장애인의 삶의 질 향상

■ ②는 스포츠의 교육적 순기능 중 사회통합 기능(p. 28 참조)이다.

03 학교체육의 교육적 순기능으로 보기 어려운 것은?

① 학업능력의 향상, 사회화의 촉진, 정서의 순화 등을 통해서 전인교육을 도모할 수 있다.
② 교내에서 학생들을 통합하고, 지역사회와의 연계를 강화하는 등 사회통합에 기여할 수 있다.
③ 여학생들의 체육에 대한 인식을 긍정적으로 전환시키고, 평생체육의 기틀을 제공할 수 있다.
④ 상급학교에 진학할 수 있는 기회를 확대시킬 수 있다.

■ 학생선수들이 상급학교에 진학할 수 있는 기회가 확대되면, 그만큼 일반학생들의 상급학교 진학기회를 박탈하는 셈이 되기 때문에 순기능이라고 할 수 없다.

04 스포츠의 교육적 기능 중 성격이 다른 하나는?

① 사회화 촉진 ② 학교 내 통합에 기여
③ 정서함양 및 순화에 기여 ④ 일반학생의 참가기회 제한

■ ① ② ③은 학교체육의 교육적 순기능이고, ④는 교육적 역기능이다.

정답 01 : ④, 02 : ②, 03 : ④, 04 : ④

05 스포츠의 교육적 순기능이 아닌 것은?

① 자아실현
② 전인교육
③ 사회통합
④ 사회선도

■ 자아실현은 스포츠의 가치 또는 역할이지 교육적 순기능은 아니다.

06 보기는 스포츠의 교육적 순기능과 역기능을 적어놓은 것이다. 순기능만 묶은 것은?

보기
㉠ 전인교육
㉡ 사회화 촉진
㉢ 정서의 순화
㉣ 학교와 지역사회의 분리
㉤ 여학생의 스포츠활동 참여 제한
㉥ 장애인의 적응력 향상

① ㉠㉡㉢ ② ㉡㉢㉣ ③ ㉢㉣㉤ ④ ㉣㉤㉥

■ 스포츠의 교육적 순기능과 역기능(pp. 28~29) 참조

07 학원엘리트스포츠를 지지하는 입장이 아닌 것은?

① 애교심을 강화시킬 수 있다.
② 학교의 자원 및 교육시설을 독점할 수 있다.
③ 지위 창출의 수단, 사회이동의 기제로 작용할 수 있다.
④ 사회에서 요구되는 책임감, 성취감, 적응력 등을 배양시킬 수 있다.

■ ②는 학원(엘리트) 스포츠의 역기능임.

08 다음 중 스포츠의 교육적 순기능으로 볼 수 없는 것은?

① 학업활동 격려
② 학교와 지역사회 통합
③ 스포츠의 상업화
④ 사회선도

필수문제

09 보기는 스포츠의 교육적 역기능들을 적어놓은 것이다. 부정한 행위를 조장하는 내용만을 모아놓은 것은?

보기
㉠ 승리지상주의에 빠지기 쉽다.
㉡ 일반학생들이 스포츠활동에 참여할 수 있는 기회를 박탈한다.
㉢ 성차별을 간접적으로 경험하게 한다.
㉣ 우수한 학생선수에게 학업성적을 보장해주고 장학금을 지급한다.
㉤ 학생선수의 일탈행위를 묵인해준다.
㉥ 학생선수들을 비인간적으로 훈련시켜도 이의를 제기하지 않는다.

① ㉠㉡ ② ㉢㉣ ③ ㉤㉥ ④ ㉣㉤

■ ㉠, ㉡, ㉢은 교육적 가치의 부족이고, ㉣, ㉤는 부정한 행위를 조장하는 것이며, ㉥은 지도자의 권력남용이다.

정답 05 : ①, 06 : ①, 07 : ②, 08 : ③, 09 : ④

심화문제

10 중 · 고등학교 수준에서 스포츠활동에 참가해야 하는 이유를 가장 잘 설명한 것은?

■ ①과 ③은 대학 수준, ④는 초등학교 수준에서 스포츠활동에 참가하는 이유이다.

① 스포츠 전반에 걸쳐 기능을 습득하고 여가선용의 기회를 얻으려고
② 신체적 활동을 통하여 공격성을 해소하고 정서를 순화시키려고
③ 스포츠에 대한 지식을 쌓아서 수준 높은 경기를 관람하려고
④ 운동과 건강에 대한 기초지식을 습득하고 건전한 생활태도를 기르려고

11 다음 중 스포츠의 교육적 역기능에 해당하는 것은?

① 전인교육　　② 사회화 촉진
③ 교육적 가치 부족　　④ 장애자의 적응력 배양

12 학원스포츠의 교육적 역기능이 아닌 것은?

■ 스포츠의 교육적 순기능과 역기능(pp. 28~29) 참조

① 교육적 가치 부족　　② 부정행위의 조장
③ 지도자의 권력 남용　　④ 개인주의의 팽배

13 아래 내용에 나타나는 스포츠의 교육적 역기능을 보기에서 찾아 바르게 묶은 것은?

ㅇㅇ이는 초등학교에서 씨름선수로 활약하면서 늘 좋은 성적을 내는 상위권 선수였다. 학교의 명성을 높이려는 A중학교에서 메달을 따는 조건으로 ㅇㅇ이에게 장학금 형태의 학비보조, 숙식제공 및 학업성적 보장을 해주겠다며 스카우트 제의가 들어왔다. 그래서 ㅇㅇ이는 A중학교로 진학하기로 결정했다.

보기
㉠ 승리지상주의　　㉡ 학원스포츠의 상업화　　㉢ 일탈과 부정행위
㉣ 참여기회의 제한　　㉤ 비인간적 훈련　　㉥ 학업에 대한 편법과 관행

■ ㉠은 포함되어야 하고, ㉣과 ㉤은 포함되지 않아야 한다(pp. 28~29 참조).

① ㉠, ㉢, ㉤, ㉥　　② ㉠, ㉡, ㉢, ㉥
③ ㉡, ㉢, ㉣, ㉤　　④ ㉡, ㉢, ㉤, ㉥

필수문제

14 다음은 학교체육에 대한 설명이다. 잘못된 것은?

■ 우리나라의 학교체육은 교육과정 안에 정규적으로 편성된 수업시간이다.

① 학교라는 울타리 안에서 일어나는 모든 체육활동이다.
② 학생들이 육체적 · 정신적 · 사회적으로 건전한 삶을 영위할 수 있도록 한다.
③ 학교체육을 정과체육, 학원스포츠, 클럽스포츠로 나눌 수 있다.
④ 체육이 정규 교과목이기는 하지만, 교과 내용 측면에서는 가치가 없다.

정답　10 : ②, 11 : ③, 12 : ④, 13 : ②, 14 : ④

심화문제

15 학교체육의 분류에 대한 설명이다. 옳지 못한 것은?

① 정과체육은 교육과정 안에서 정규적으로 편성되어 있는 수업시간에 하는 체육활동을 의미한다.
② 학원스포츠는 학원에서 실시하는 학생들의 스포츠 활동이다.
③ 클럽스포츠는 동일 학교의 학생들로 구성 · 운영되는 스포츠동아리에서 실시하는 스포츠 활동이다.
④ 정과체육에는 건강, 도전, 경쟁, 표현, 여가의 5가지 영역이 포함되어 있다.

■ 학원스포츠는 코치나 감독을 영입하여 대회참가 및 입상을 목표로 운영되는 학교운동부의 활동을 의미한다.

필수문제

16 정과체육의 문제점에 대한 설명이다. 옳은 것은?

① 보건교과가 신설됨으로써 정과체육의 내용이 더 좋아졌다.
② '아나 공'식의 체육수업은 체육교사의 무관심과 능력부족 때문이다.
③ 중 · 고등학교의 체육교사가 모든 종목을 다 잘 지도할 수는 없으므로 자신이 잘 할 수 있는 종목만 지도하면 된다.
④ 초등학교의 여교사가 체육시간을 다른 교과목으로 대체하는 것은 어쩔 수 없는 일이다.

■ ①은 본래 체육교과의 내용에 보건이 있었는데 분리했으므로 체육교과의 위상이 약화된 것이고, ③과 ④는 교사 자신이 잘못한다고 학생들에게 가르치지 않는 것은 직무태만이므로 전문성을 높이려는 노력이 있어야 한다.

필수문제

17 학원스포츠의 문제점이라고 보기 어려운 것은?

① 학부모, 동창회, 지역사회의 후원을 끌어들인다.
② 학생선수들은 학습권을 제대로 보장받지 못하고 있다.
③ 학생선수들은 폭력 및 성폭력에 노출되어 있는 경우가 많다.
④ 학생선수를 예외적인 학생, 반 평균을 깎아먹는 학생으로 인식하고 있다.

■ 후원을 끌어들인다고 하면 장점이지만, 후원금을 낭비한다고 하면 문제점이 된다.

심화문제

18 학원스포츠활동이 교육적으로 부적합하다고 주장하는 이유로 보기 어려운 것은?

① 국가주도의 통제와 관리　② 소수로 제한된 엘리트선수 육성
③ 체육영역 간 불균형 초래　④ 애교심과 협동심 육성

■ 학원스포츠활동은 애교심을 향상시키고 협동심을 육성한다.

19 다음 중 우리나라 학교체육의 문제점으로 보기 힘든 것은?

① 체육은 들러리 과목이라는 인식　② 정과체육 수업에 필요한 시설 부족
③ 지도자의 절대적 권한　④ 체육교사의 증가

■ 체육교사의 증가는 학교체육의 문제점이 아니다.

정답　15 : ②, 16 : ②, 17 : ①, 18 : ④, 19 : ④

■ ① 어떠한 경쟁에서 승리를 최우선시 하는 문화
■ ② 엄격한 위계질서와 같은 군대의 조직적 · 문화적 특성을 중요한 가치로 삼는 문화
■ ④ 선수들이 자신의 신체를 기록 갱신이나 승리를 위한 도구로만 간주하는 문화

20 **우리나라 학원스포츠의 문화적 특성 중 보기의 설명에 해당하는 것은?**

> 보기
> 학생선수들은 교실공간과 분리되어 합숙소와 운동장에서 주로 생활하며 그들만의 공동체 문화를 만들어 간다. 또한 그들만의 동질감을 바탕으로 끈끈한 인간관계를 맺지만, 일반학생들과는 이질화되고 있다.

① 승리지상주의 문화　② 군사주의 문화
③ 섬 문화　④ 신체소외 문화

필수문제

■ ① 교사가 학생선수를 특별한 학생으로 인식하고 있다.
■ ② 의존성은 바람직한 인성이 아니다.
■ ③ 공부도 잘하고 운동도 잘하면 문제점이 아니다.

21 **학원스포츠의 문제점을 가장 잘 지적한 것은?**

① 교사가 학생선수를 긍정적으로 인식하고 있다.
② 의존성, 순종적 행동 등 바람직한 인성을 길러준다.
③ 학생선수는 운동만 잘하는 것이 아니라 공부도 잘한다.
④ 학생선수는 폭력과 성폭력에 노출되어 있다.

심화문제

■ 최저학력제는 학원스포츠의 문제점을 해결하려고 도입한 제도이다.

22 **학원스포츠의 문제점에 해당되지 않는 것은?**

① 학생선수의 학습권 제한　② 학생선수의 폭력 문제
③ 학생선수의 인권 침해　④ 최저학력제 도입 및 운영

필수문제

■ 학원스포츠를 개선하기 위해 경쟁적 보상구조를 강화하면 경쟁체계를 부추겨 학업성취도를 악화시킬 뿐만 아니라 승리 지상주의에 빠질 수도 있다.

23 **학원스포츠의 개선방안으로 옳지 않은 것은?**

① 경쟁적 보상구조 강화
② 공부하는 학생선수 육성
③ 학교스포츠클럽의 육성
④ 운동부지도자 처우개선

심화문제

■ 상시합숙을 하면 인격형성과 학습에 문제가 생긴다.

24 **학원스포츠의 정상화를 위한 정책으로 적절하지 않은 것은?**

① 초 · 중학교 상시 합숙제도　② 주말리그제 시행
③ 학교운동부 운영 투명화　④ 최저학력기준 설정

정답　20 : ③, 21 : ④, 22 : ④, 23 : ①, 24 : ①

25 **일반학생(학생선수가 아닌 학생)들의 스포츠 활동을 지원하기 위한 시책이라고 할 수 없는 것은?**

① 체육전담교사 또는 스포츠강사의 배치 ② 학교스포츠클럽의 의무화
③ 학생건강체력평가제의 도입 ④ 1교1기제도 권장

■학교마다 한 가지 스포츠를 전교 학생에게 지도하는 것을 권장하는 1교1기제도는 일반학생들의 스포츠 활동을 지원하는 시책이라고 볼 수 없다.

필수문제

26 **일반학생들의 체육활동 활성화와 공부하는 학생선수 육성을 위한 제도 또는 시책이다. 옳지 못한 것은?**

일반학생(체육활동 활성화)	학생선수(공부하는 학생선수)
① 학교체육의 전문성 향상	학생선수의 학습권 보장
② 스포츠활동 참여기회 확대	학교운동부 운영의 투명화
③ 학생건강체력평가제 실시	학생선수의 인권보호
④ 여학생의 체육활동 활성화	학교운동부의 프로화

심화문제

27 **학교교육에서 스포츠가 필요한 이유로 보기 어려운 것은?**

① 학업성취도 향상 ② 정신수행능력 향상
③ 운동능력 향상 ④ 사회화 촉진

■운동능력을 향상시키려면 학교를 다닐 것이 아니라 해당 종목의 도장이나 체육관에 가는 것이 더 효과적이다.

28 **학교체육에서 스포츠활동을 경험시키는 이유로 가장 합당한 것은?**

① 동료집단에서 순종하는 태도를 체득할 수 있게 하려고
② 운동기능을 향상시키려고
③ 학령기의 스포츠활동 참가 경험이 평생체육활동에 영향을 미치기 때문에
④ 직업기대가 상승하기 때문에

■직업기대가 상승한다는 것은 학교를 졸업한 후에 여러 가지 직업에 진출할 수 있는 것을 기대할 수 있다는 뜻이다.

29 **"스포츠가 목표에 대한 도전, 스포츠맨십, 팀워크와 같은 긍정적 가치를 학생들에게 학습시킨다."는 것은 어떤 교육기능에 속하는가?**

① 학업활동 촉진 ② 사회화 촉진
③ 사회통합 ④ 사회선도

정답 25 : ④, 26 : ④, 27 : ③, 28 : ③, 29 : ②

05 Chapter 스포츠와 미디어

미디어

1 미디어(매체)의 개념

정보제공자와 정보수용자 사이에 정보 전달이 이루어질 수 있도록 정보를 매개하는 매체를 미디어라 한다.

2 미디어의 기능

☞ 경제적 이익을 창출한다.
☞ 공익적 목적의 서비스를 제공한다.
☞ 문화와 가치관을 효과적으로 전파한다.
☞ 대중에게 즐거움을 주는 콘텐츠를 제공한다.

스포츠미디어

1 스포츠미디어의 개념

스포츠와 관련된 지식, 가치, 정서, 경기상황 등의 정보를 대중에게 전달하는 매체로 신문, 잡지, TV, 라디오, 인터넷 등이 있다.

2 스포츠미디어의 기능

정보 기능	스포츠와 관련된 정보를 대중에게 제공한다.
통합적 기능	사회집단을 통합하는 기능을 한다.
정의적 기능	대중들이 즐거움, 흥미, 관심 등을 느끼게 한다.
도피 기능	새로운 경험과 대리만족 등을 통해서 대중들의 불안, 좌절, 스트레스 등을 해소시킨다.

3 스포츠미디어의 종류

인쇄미디어	신문, 잡지, 정기 간행물 등
방송미디어	라디오, TV, 영화 등
뉴미디어	인터넷, 모바일 기기(스마트폰, 태블릿PC) 등

4 스포츠미디어의 윤리적인 문제

독자들의 관심과 주목을 끌기 위하여 특정 선수 및 관계자를 비평하고 의도적으로 사생활을 침범하는 선정적 · 비도덕적인 기사들을 내보내는 것이다. 이를 방지하려면 저널리스트는 올바른 가치관과 윤리의식을 준수하여 보도의 정확성과 공정성을 유지할 수 있도록 해야 한다. 잘못된 보도는 다음과 같은 문제를 일으킨다.

☞ 특정 인기스타 중심으로 보도를 한다.
☞ 승리지상주의를 부추긴다.
☞ 전문성이 모자라서 수준이 낮은 보도를 한다.
☞ 자본주의나 민족주의와 같은 특정 사상을 전파하는 역할을 한다.
☞ 영웅주의나 성차별 같은 왜곡된 가치관을 전파한다.

보편적 접근권

☞ 방송법과 방송법시행령의 개정으로 2008년부터 도입된 제도이다.
☞ 국민의 관심이 큰 스포츠 경기 등에 대한 방송을 모든 국민이 시청할 수 있는 권리이다.
☞ 국민적인 관심이 있는 행사는 국민 전체 가구 수 중 방송통신위원회가 고시하는 비율 이상이 시청할 수 있는 방송수단을 확보하여야 한다.

매스미디어 이론

1 탄환 이론

탄환 이론(bullet theory)은 H. Lasswell이 주장한 매스미디어 효과에 관한 최초의 이론이다. 수용자(대중)는 수동적인 존재로서 매우 비이성적 · 비자율적이기 때문에 매스미디어의 의도가 획일적이고 직접적으로 수용자에게 효과를 미친다는 것이다. 즉 모든 인간은 본질적으로 유사하기 때문에 매스미디어의 메시지는 똑같이 수용자에게 전달되고, 그 반응이 똑같은 방식으로 일어나게 된다는 것이다.

이 이론에서 매스미디어는 능동적인 존재로, 수용자는 항상 매스미디어의 영향을 가감없이 받아들이는 수동적인 존재로 파악한다.그러나 이 이론은 수용자를 고정관념에 치우쳐 획일화시켜 극단적인 존재로 평가한다는 비판이 있다.

2 McLuhan의 이론

캐나다의 McLuhan(1966)은 현대사회에서 미디어의 중요성에 대해 논하면서 특정사회는 그 사회에서 가장 지배적인 미디어의 형태가 무엇이냐에 따라 성격이 특징지워지기 때문에 미디어를 이해하는 것이 그 사회를 이해하는 것이라 하였다.

McLuhan(1964)은 특히 미디어를 쿨(cool) 미디어와 핫(hot) 미디어로 구분하였다. 그가 말하는 쿨(cool) 미디어란 전달하는 정보의 정세도가 낮아서 수용자의 높은 참여도를 요구하는 미디어를 의미하고, 반대로 핫(hot) 미디어란 전달하는 정보의 정세도가 높아서 수용자의 낮은 참여도를 요구하는 미디어를 의미한다.

여기서 정세도란 원래는 사진에 나타난 영상의 선명도를 뜻하는 사진관련 용어인데, 메시지의 충실도, 쉽게 말해 정의(definition)도를 의미한다. 참여도란 수용자가 메시지의 의미를 재구성하는 데 필요한 상상력 투입의 정도를 뜻한다.

3 개인차 이론

사람은 타고난 생리적 특징이나 자라난 환경의 차이로 인하여 각자 다른 성격이나 가치관 · 행동양식 등을 형성하는데, 이러한 개인적 특성은 사물을 인식하고 판단하는 근거가 된다. 따라서 사람은 각자의 성격이나 가치관에 의해 환경으로부터 정보를 받아들이고 해석하며, 그로 인해 나타나는 결과가 달라진다는 것이 개인차 이론(individual different theory)이다.

Kats와 Glurevitch, Hass(Loy, McPherson, Kenyon : 1978) 등은 미디어가 충족시킬 수 있는 4가지 범주의 욕구를 인지적 · 정서적 · 통합적 · 도덕적 욕구로 제시했다.

4 사회범주 이론

사회범주(social category)란 인구학적 속성에 따라 사람을 몇 가지 집합으로 구분하여 분류하는 것으로, 흔히 연령 · 성별 · 경제수준 · 거주지역 · 인종 · 종교 등을 포함한다.

이 이론은 산업사회의 도시에서는 이미 노출된 일련의 자극에도 불구하고 거의 똑같은 반응을 보이는 집단이나 집합체 또는 사회범주가 있다고 주장하면서 매스미디어에 대하여 상이하게 반응하는 하위집단이 널리 존재한다고 한다(DeFleur, 1970). 따라서 스포츠환경에서 볼 때 스포츠의 수용양식도 사회범주에 따라 달라진다는 입장인데, 이는 특수한 하위집단의 생활습관은 대개 간과하게 된다.

5 사회관계 이론

사회관계 이론(social relationship theory)은 사람이 자기 나름대로 정보를 선택하고 해석할 때에는 주변 사람의 영향도 많이 받는데, 그중에서 특히 준거집단의 영향이 주축을 이루기 때문에 미디어스포츠에의 접촉양식도 그 사람 자신이 속해 있는 사회의 중요타자와의 사회적관계에 의해 영향을 받게 된다고 본다.

또한 집단구성원들의 생활양식이 바로 사회집단에 참가하거나 중요타자와의 상호작용에 의해서 영향을 받는 집단현상이라고 볼 때, 그러한 생활양식은 관련된 사회학적 변수에 따라 변할 수 있다고 보고 있다(Loy, McPherson, Kenyon, 1978).

6 문화규범 이론

문화규범 이론(cultural norms theory)이란 매스미디어가 사회규범에 영향을 미치고 수용자는 그 규범에 따라서 자신의 생각이나 행동을 취한다는 것이다. 이 관점에 따르면 매스미디어는 문화규범으로서 시청자에 의해 인지된 후, 미래의 행동과 미디어의 이용을 이끌어 갈 어떤 주제를 선택적으로 제시하고 강조한다고 볼 수 있다.

DeFleur(1970)는 매스미디어는 3가지 방법에서 개개인의 규범적 인지에 영향을 미칠 수 있다고 하였다.

7 Habermas의 공공영역론

프랑크푸르트학파의 대표적 사회학자라 할 수 있는 Habermas는 18세기 초기부터 현재까지 공공영역의 등장과 쇠퇴를 추적하면서 미디어의 발달을 분석하였다. 그는 공공영역을 그곳에 모인 사람들의 공통된 관심사가 논의되고 여론이 형성되는 공론의 장으로 해석한다.

8 Baudrillard의 초현실론

매스미디어가 있는 곳에는 어디든지 새로운 실재인 초현실이 만들어지며, 초현실은 사람들의 행위와 미디어 이미지가 뒤섞여 구성된다는 이론이다.

9 Thompson의 유사상호작용론

Thompson은 많은 학자들이 수용자를 미디어 이미지의 수신자로만 취급한다고 하면서 미디어 이미지는 그것의 수신 중이나 직후에 개인들에 의해 논의된다고 하였다. 그리고 이것은 말하기와 다시 말하기, 해석과 재해석, 비판과정 등을 통해 변형된다.

핫미디어와 쿨미디어(hot media & cool media)

☞ 하나의 감각기관을 고도로 정밀하게(선명하게) 이용하는 미디어를 핫미디어라 하고, 그 반대를 쿨미디어라고 한다.

☞ 핫미디어는 아주 정밀(선명)하기 때문에 정보 수용자가 신경을 별로 안 써도 정확하게 정보가 전달되고, 쿨미디어는 수용자가 정보를 이해하려면 신경을 많이 써야 된다.

☞ 핫미디어와 쿨미디어가 일정하게 정해져 있는 것은 아니고 어떤 미디어와 비교하느냐에 따라서 핫미디어가 될 수도 있고 쿨미디어가 될 수도 있다.

☞ 핫미디어가 전달하는 정보는 사전 계획적이고 논리적인 반면 쿨미디어가 전달하는 정보는 필요에 의해서 임시방편적으로 전달하는 것들이므로 비논리적이고 즉흥적이다.

☞ 핫미디어로 전달하는 것이 효과적인 스포츠를 핫미디어스포츠라고 한다. 기록스포츠, 공격과 수비가 구분된 스포츠, 골프

☞ 쿨미디어로 전달하여도 무방한 스포츠를 쿨미디어스포츠라 한다. 득점스포츠, 공격과 수비가 구분되지 않는 스포츠, 축구

▶ 맥루한(McLuhan, M.)의 매체 이론(요약)

구분	핫미디어(문자)	쿨미디어(전자)
정의	» 낮은 감각의 참여와 몰입 » 간접적으로 정보를 받음	» 높은 감각의 참여와 몰입 » 직접적으로 정보를 받음
유형	» 신문, 잡지, 라디오, 사진 등	» TV, 비디오, 영화, 게임, 인터넷, 모바일 등
특징	» 논리적으로 전달되는 메세지 » 계획적 · 직접적으로 전달되는 메세지 » 정의성이 높은 메세지	» 비논리적으로 전달되는 메세지 » 즉흥적 · 일시적으로 전달되는 메세지 » 정의성이 낮은 메세지

▶ 핫 매체 스포츠와 쿨 매체 스포츠

핫 매체 스포츠	쿨 매체 스포츠
» 정적 스포츠, 개인스포츠, 공 · 수가 구분되는 스포츠 » 골프, 권투, 레슬링, 태권도, 사격, 양궁 등	» 동적 스포츠, 팀 스포츠, 공 · 수가 구분되지 않는 스포츠 » 농구, 축구, 경마, 배구, 핸드볼 등

스포츠저널리즘

☞ 각종 미디어를 통해서 스포츠와 관련된 정보를 대중에게 전달하는 모든 소통 활동을 스포츠 저널리즘이라고 한다.
☞ 대중의 흥미와 관심을 끌기 위해서 과장, 축소, 편파적인 보도를 하거나 개인의 사생활을 침해하는 기사를 작성할 염려가 있다.
☞ 스포츠선수를 상품화할 염려가 있다.

▶ 저널리즘의 유형

옐로 저널리즘	대중의 관심과 주목을 끌기 위한 기사들만을 모아 선정적 · 비도덕적으로 취재 · 보도하는 저널리즘
팩 저널리즘	개성이 있고, 독창성도 없는 획일적이고 단조로운 저널리즘
뉴 저널리즘	기존의 저널리즘 방식이 아닌 사건 · 상황 등에 관한 내용을 독자들이 실감을 느낄 수 있도록 표현 · 전달하는 저널리즘

스포츠와 미디어는 서로가 서로에게 영향을 미치면서 공생관계에 있다.

1 스포츠가 미디어에 미치는 영향
☞ 수익성이 있는 콘텐츠를 제공한다.
☞ 미디어의 보급을 확대하는 데에 기여한다.
☞ 미디어의 기술 발전을 촉진한다.

2 미디어가 스포츠에 미친 영향
⑧ 경기규칙의 변경
⑧ 경기일정의 변경
⑧ 스포츠인구의 증가
⑧ 스포츠의 불균형적 발전 초래
⑧ 스포츠용구의 변화
⑧ 스포츠기술의 발달 및 확산
⑧ 새로운 스포츠 창출

3 스포츠미디어를 통해 충족시킬 수 있는 욕구(Birrell, S.와 Loy, J.)
☞ 인지적 욕구 : 스포츠에 대한 지식, 경기 결과 및 통계적 지식을 제공한다.
☞ 정의적 욕구 : 스포츠에 대한 즐거움, 흥미, 관심 등을 제공한다.
☞ 통합적 욕구 : 스포츠에 대한 사회 구성원들의 관심을 하나로 묶어서 사회를 통합하는 역할을 한다.
☞ 도피적 욕구 : 스포츠를 통해 불안, 좌절, 스트레스 등의 감정을 해소하도록 돕는 역할을 한다.

필수 및 심화 문제

필수문제

01 **보기의 ㉠, ㉡에 해당하는 용어가 바르게 연결된 것은?**

보기
» 미디어는 스포츠 중계를 통해 시청자들의 상품 소비를 촉진시키는 (㉠) 이데올로기를 생산한다.
» 미디어는 남성스포츠 경기를 역사적 중요성을 갖고 있는 것처럼 묘사하며, 여성스포츠를 실력보다 외모를 부각시키는 (㉡) 이데올로기를 생산한다.

	㉠	㉡		㉠	㉡
①	합리주의	젠더	②	자본주의	젠더
③	합리주의	성공	④	자본주의	성공

■ 미디어는 스포츠 중계를 통해 대중들의 경제적 이익(상품소비)을 촉진시키는 **자본주의 이데올로기**를 생산한다.
■ 미디어는 남성들의 스포츠경기는 역사적 중요성이 있는 것처럼 묘사하지만, 여성들의 스포츠경기는 실력보다는 외모를 부각시키는 **젠더**(gender) **이데올로기**를 생산하기도 한다.

필수문제

02 **스포츠미디어에 내포된 이데올로기와 이를 보도하는 방식이 바르게 연결된 것은?**

① 국가주의 이데올로기－특정 선수만이 아닌 모든 선수를 함께 부각하여 보도
② 젠더 이데올로기－여성 선수의 탁월한 기량에 초점을 두어 보도
③ 자본주의 이데올로기－경제적 가치를 중시하여 스포츠의 소비를 유도하는 보도
④ 개인주의 이데올로기－결과만을 중시하고 항상 승자의 시각에서 보도

■ ① 모든 선수를 부각시키는 것은 전체주의, ② 남성선수의 기량이 더 탁월, ④ 승리지상주의

심화문제

03 **스포츠미디어가 특정 이데올로기 또는 가치관을 전파 또는 강화하는 역할을 하는 것과 관련이 적은 것은?**

① 자본주의　② 성차별　③ 민주주의　④ 영웅주의

■ 민주주의가 아니고 민족주의 또는 국가주의를 강화하는 역할을 했다.

04 **스포츠 미디어에 대한 설명으로 옳지 않은 것은?**

① 스포츠 메가 이벤트는 미디어의 이윤창출에 기여한다.
② 보편적 접근권은 스포츠 콘텐츠의 차별화를 위한 미디어의 정책이다.
③ 1964년 동경올림픽경기대회는 최초로 인공위성을 통해 전 세계에 중계되었다.
④ 스포츠 저널리즘은 대중의 호기심과 흥미를 유발하는 '옐로 저널리즘'의 성격이 강하다.

■ 국민적 관심거리인 스포츠 경기를 누구나 쉽게 볼 수 있도록 보장하는 것이 보편적 접근권이다.

정답　01 : ②, 02 : ③, 03 : ③, 04 : ②

필수문제

05 **버렐(S. Birrell)과 로이(J. Loy)가 제시한 스포츠미디어를 통해 충족할 수 있는 욕구유형에 대한 설명으로 옳은 것은?**

① 도피적 욕구 : 불안, 초조, 욕구불만, 좌절 등의 감정을 해소하도록 돕는다.
② 인지적 욕구 : 스포츠에 대한 흥미와 즐거움을 제공한다.
③ 정의적 욕구 : 스포츠에 대한 지식, 경기결과 및 통계적 지식을 제공한다.
④ 통합적 욕구 : 스포츠에 대한 규칙 정보를 제공한다.

■ 대중이 스포츠미디어를 통해서 훌륭한 선수들의 퍼포먼스를 보고 대리만족을 느낌으로써 불안 · 좌절 · 스트레스 등으로부터 탈출하는 것을 도피적 욕구라고 한다.

심화문제

06 **다음 중 스포츠미디어의 기능이라고 하기 어려운 것은?**

① 세금을 많이 거두어 들인다. ② 문화와 가치관을 전파한다.
③ 공익적 목적의 서비스를 제공한다. ④ 즐거운 콘텐츠를 제공한다.

■ 세금과 스포츠미디어는 관련이 없다.

07 **스포츠미디어의 기능을 설명한 것들이다. 잘못 설명한 것은?**

① 정보 기능 : 스포츠와 관련된 정보를 대중에게 제공한다.
② 통합적 기능 : 사회집단을 통합하는 기능도 한다.
③ 정의적 기능 : 대중들이 즐거움, 흥미, 관심 등을 느끼게 한다.
④ 도피 기능 : 재난이 닥쳤을 때 대중들이 도망갈 수 있는 기회를 제공한다.

■ 새로운 경험과 대리만족 등을 통해서 대중들의 불안, 좌절, 스트레스 등을 해소시키는 기능이 도피기능이다.

08 **스포츠미디어의 유형이 다른 하나는?**

① 신문 ② 인터넷 ③ 모바일기기 ④ 비디오게임

■ 신문 : 인쇄미디어
■ 인터넷 · 모바일기기 · 비디오게임 : 뉴미디어

필수문제

09 **선수 개인의 사생활이나 비공식적인 내용을 중심으로 대중을 자극하고 호기심에 호소하는 흥미 위주의 스포츠관련 보도를 지칭하는 용어는?**

① 팩 저널리즘(pack journalism)
② 옐로 저널리즘(yellow journalism)
③ 하이에나 저널리즘(hyena journalism)
④ 뉴 저널리즘(new journalism)

■ ① 패거리저널리즘이라고도 하며, 취재하는 방법과 시각이 획일적이거나 단조로운 것. ③ 정권에 아부했다가 정권이 끝나면 물고뜯는 저널리즘. ④ 심층적이고 해설적인 보도를 하려는 저널리즘.

심화문제

10 **대중의 원시적 본능을 자극하고 호기심에 호소하여 흥미 본위로 보도하는 경향을 무엇이라고 하는가?**

① 옐로 저널리즘 ② 레드저널리즘 ③ 블랙저널리즘 ④ 엠바고

■ 독자의 관심을 끌기 위하여 흥미 본위의 저속하고 선정적인 기사를 주로 보도하는 것이 옐로 저널리즘이다.
■ 일정한 시점이 될 때까지 보도를 자제하는 것을 엠바고라고 한다.

정답 05 : ①, 06 : ①, 07 : ④, 08 : ①, 09 : ②, 10 : ①

필수문제

11 보편적 접근권에 대한 설명 중 옳지 못한 것은?

① 방송법과 방송법시행령의 개정으로 2008년부터 도입된 제도이다.
② 국민의 관심이 큰 스포츠경기 등에 대한 방송을 국민이 시청할 수 있는 권리이다.
③ 국민적으로 관심이 있는 행사는 동 · 하계올림픽과 FIFA월드컵이다.
④ 국민적으로 관심이 있는 행사에 대하여 국민 전체 가구 수 중 방송통신위원회가 고시하는 비율 이상이 시청할 수 있는 방송수단을 확보하여야 한다.

■ 방송통신위원회가 고시로 지정하므로 변할 수 있다.

필수문제

12 보기에서 설명하는 디 플로어(M. DeFleur)의 미디어 이론은?

보기
» 미디어의 영향력과 스포츠의 소비 형태는 연령, 성, 사회계층, 교육수준, 결혼여부 등에 따라 달라질 수 있다.
» 미디어의 영향력이 서로 다른 하위집단의 구성원에게 획일적으로 미치지 않을 수 있다.

① 개인차 이론　② 사회범주 이론
③ 사회관계 이론　④ 문화규범 이론

■ **개인차 이론** : 매스미디어의 효과는 수용자 개인에 따라 효과가 다르게 나타난다는 이론.
■ **사회범주 이론** : 인구학적 속성에 따라 사람을 연령 · 성별 · 경제수준 · 거주지역 · 인종 · 종교 등으로 분류하여 각자가 처한 사회구조적 위치나 배경의 영향을 받아 생각이나 행동 양식을 구성한다는 이론. 비슷한 환경에서 생활하면 자연히 생각이나 행동도 비슷해진다는 사회학적 입장을 기본으로 한다.
■ **사회관계 이론** : 인간이 정보를 선택하고 해석하는 데는 주변 사람, 특히 준거집단의 영향이 가장 크기 때문에 미디어 스포츠와의 접촉 양식도 자신이 속한 사회의 중요타자와의 사회적 관계에 의해 영향을 받는다는 이론.
■ **문화규범 이론** : 매스미디어가 수용자들에게 문화적 규범을 제시하고 강화한다는 이론.

심화문제

13 보기에서 설명하는 스포츠 미디어 이론은?

보기
대중들은 능동적 수용자로서 특수한 심리적 욕구를 만족시키기 위해 매스미디어를 적극 이용한다. 이에 미디어 수용자는 인지적, 정의적, 도피적, 통합적 욕구를 충족시키기 위해 스포츠를 주제로 다루는 매스미디어를 이용한다.

① 사회범주이론　② 개인차이론　③ 사회관계이론　④ 문화규범이론

14 스포츠 미디어 이론에 관한 설명이 옳지 않은 것은?

① 문화규범이론 – 문화적 차이에 의해 핫 미디어와 쿨 미디어로 나누어진다.
② 사회범주이론 – 미디어의 영향력은 성, 연령, 계층 등에 따라 다르게 반영된다.
③ 개인차 이론 – 대중들은 능동적 수용자로서 심리적 욕구를 만족하기 위해 매스미디어를 활용한다.
④ 사회관계이론 – 미디어를 통한 개인의 스포츠 소비 형태는 중요타자의 가치와 소비행동에 의해 영향을 받는다.

정답　11 : ④, 12 : ②, 13 : ②, 14 : ①

필수문제

15 맥루한(M. McLuhan)의 미디어 이론에 따른 구분 및 특성을 바르게 제시한 것은?

	구분 \ 특성	정의성	감각참여성	감각몰입성	경기진행속도
①	핫미디어 스포츠	높음	낮음	높음	빠름
②	쿨미디어 스포츠	낮음	높음	높음	빠름
③	핫미디어 스포츠	높음	높음	낮음	느림
④	쿨미디어 스포츠	낮음	낮음	낮음	느림

■ 쿨미디어스포츠는 비논리적이고 즉흥적이어서 정의성이 낮고, 수용자의 높은 감각적 참여가 필요하며, 높은 몰입상태를 요구한다. 또한 속도감이 있고 변화 가능성이 높은 스포츠이다.

심화문제

16 핫미디어의 특성을 설명한 것이다. 옳지 못한 것은?

① 미디어의 정밀도(정의성)가 높다.
② 수용자의 감각참여도가 높다.
③ 메시지가 논리적이고, 사전 계획적이다.
④ 장시간 개별적으로 메시지를 전달하는 데에 좋다.

■ 핫미디어는 수용사의 감각참여도가 낮다.

17 쿨미디어의 특성을 설명한 것이다. 옳지 못한 것은?

① 미디어의 정밀도(정의성)가 낮다.
② 수용자의 감각참여도가 높다.
③ 메시지가 비논리적이고 즉흥적이다.
④ 장시간 개별적으로 메시지를 전달하는 데에 좋다.

■ 쿨미디어는 일시적으로 대중에게 메시지를 전달할 때 좋다.

18 핫미디어스포츠와 쿨미디어스포츠에 대한 설명이다. 옳지 않은 것은?

① 핫미디어를 이용하여 스포츠정보를 전달하는 것이 적합한 스포츠를 핫미디어스포츠라고 한다.
② 쿨미디어스포츠는 동적인 스포츠, 팀 스포츠라는 특성이 있다.
③ 핫미디어스포츠는 득점스포츠, 공격과 수비가 구분되지 않는 스포츠라는 특성이 있다.
④ 골프는 핫미디어스포츠에 속하고, 축구는 쿨미디어스포츠에 속한다.

■ 기록스포츠, 공격과 수비가 구분되는 스포츠가 핫미디어스포츠이다.

19 스포츠와 미디어는 (　　)를 계속 이어가고 있다. (　　)에 알맞은 것은?

① 갈등관계　② 경쟁관계　③ 공생관계　④ 선형관계

정답 15 : ②, 16 : ②, 17 : ④, 18 : ③, 19 : ③

필수문제

20 **보기는 맥루한(M. McLuhan)의 매체이론에 근거한 내용이다. 쿨(cool) 매체 스포츠에 해당되는 내용만으로 묶은 것은?**

㉠ 스포츠의 정의성 높음　　㉡ 관람자의 감각몰입성 높음
㉢ 야구　　㉣ 축구　　㉤ 테니스　　㉥ 핸드볼

① ㉠-㉣-㉥　　② ㉠-㉢-㉤
③ ㉡-㉣-㉥　　④ ㉡-㉢-㉤

■ 테니스와 야구는 몸을 부딪치는 경기가 아니다.
■ **쿨 매체(미디어) 스포츠**(동적, 득점, 팀스포츠) : 공격과 수비가 구분되지 않고, 진행이 빠르고, 변화가 잦고, 몰입성이 높음. 예 : 농구, 경마, 럭비, 자동차 경주 등
■ **핫 매체(미디어) 스포츠**(정적, 개인, 기록스포츠) : 정세도가 높고, 논리적 · 장기적 · 계획적 · 직접적이고, 공격과 수비가 명확히 구분되고, 진행속도가 빠르지 않다. 예 : 골프, 권투, 유도, 태권도, 씨름 등

심화문제

21 **맥루한(M. McLuhan)의 매체이론에 관한 설명으로 옳지 않은 것은?**

① 핫(hot) 미디어 스포츠는 관람자의 감각 참여성이 낮다.
② 쿨(cool) 미디어 스포츠는 관람자의 감각 몰입성이 높다.
③ 핫(hot) 미디어 스포츠는 경기 진행 속도가 빠르다.
④ 쿨(cool) 미디어 스포츠는 메시지의 정의성이 낮다.

필수문제

22 **스포츠저널리즘과 관련된 내용이다. 옳지 못한 것은?**

① 각종 미디어를 통해서 스포츠와 관련된 정보를 대중에게 전달하는 모든 커뮤니케이션 활동을 스포츠저널리즘이라고 한다.
② 대부분 정확하고, 공정하며, 객관적으로 스포츠정보를 전달한다.
③ 대중의 흥미를 끌기 위해서 개인의 사생활을 침해하는 기사를 작성할 염려가 있다.
④ 스포츠선수를 상품화할 염려가 있다.

■ 대중의 흥미와 관심을 끌기 위해서 과장, 축소, 편파적인 태도를 취할 가능성이 많다.

심화문제

23 **스포츠저널리즘의 행태 중에서 윤리적으로 올바른 것은?**

① 대중의 흥미를 이끌어내기 위해서 대기업과 결탁한다.
② 편파적인 보도를 자제한다.
③ 특정 선수나 코치의 사생활을 공개한다.
④ 옐로 저널리즘을 확대한다.

■ 대중의 흥미 위주로 보도하는 것이 옐로 저널리즘이다.

24 **미디어가 스포츠에 미친 영향과 관련이 적은 것은?**

① 동점일 경우 연장전 거행　　② 경기시간 또는 경기일정 변경
③ 중요한 경기는 제3국에서 경기　　④ 타이 브레이크 제도 도입

■ 정치적인 원인, 국민감정, 공정성 때문에 제3국에서 경기를 한다.

정답　20 : ③, 21 : ③, 22 : ②, 23 : ②, 24 : ③

■ ㉠, ㉣은 미디어가 스포츠에 미치는 영향이 아님.

■ 미디어가 스포츠에 미치는 영향
- 경기규칙 변경
- 경기일정 변경
- 스포츠인구 증가
- 스포츠의 불균형 발전 초래
- 스포츠 용구의 변화
- 스포츠기술의 발달 및 확산
- 새로운 스포츠 창출

필수문제

25 보기에서 대중매체가 스포츠에 미치는 영향에 해당되는 것만을 모두 고른 것은?

㉠ 대중매체의 기술이 발전한다.	㉡ 스포츠 인구가 증가한다.
㉢ 새로운 스포츠 종목이 창출된다.	㉣미디어 콘텐츠를 제공한다.
㉤ 경기규칙과 경기일정이 변경된다.	㉥ 스포츠 용구가 변화한다.

① ㉠, ㉡, ㉢　　② ㉠, ㉢, ㉣
③ ㉡, ㉢, ㉣, ㉤　　④ ㉡, ㉢, ㉤, ㉥

심화문제

26 스포츠와 미디어의 상호관계에서 미디어가 스포츠에 미치는 영향에 해당하는 것은?

① 영국 프리미어리그 경기는 방송사에 수준 높은 콘텐츠를 제공하고 있다.
② 손흥민, 류현진 선수 등의 활약으로 스포츠 관련 방송 시장이 확대되었다.
③ 방송사의 편익을 위해 배구의 랠리포인트제, 농구의 쿼터제 등 경기규칙을 변경하였다.
④ 시청자의 욕구를 충족시켜 주기 위해 슬로우영상, 반복영상 등을 제공하고 있다.

27 보기에서 대중매체가 스포츠에 미치는 영향으로만 바르게 묶인 것은?

보기	
㉠ 미디어 보급 및 확산	㉡ 경기규칙과 경기일정 변경
㉢ 스포츠 인구 증가	㉣ 스포츠용구의 변화
㉤ 미디어 기술의 발달	㉥ 새로운 스포츠종목 창출

① ㉠, ㉡, ㉣, ㉥　　② ㉡, ㉢, ㉤　　③ ㉠, ㉢, ㉣　　④ ㉡, ㉢, ㉣, ㉥

28 스포츠와 미디어의 관계에 대한 설명으로 옳은 것은?

① 미디어는 스포츠에 종속되어 스포츠 발전에 기여한다.
② 미디어는 스포츠의 본질적 가치를 지키기 위해 경기규칙 변경에 부정적 태도를 취한다.
③ 미디어가 경기일정 변경을 요구하는 주된 이유는 보다 많은 경기장 관중을 유치하기 위해서이다.
④ 미디어는 스포츠 기술의 전문화와 일반화에 기여한다.

■ 스포츠와 미디어는 공생의 관계에 있으며, 미디어는 시청자를 늘리는 것이 주목적이다.

29 스포츠가 미디어에 미치는 영향으로 바르지 않은 것은?

① 미디어콘텐츠 제공　　② 스포츠경기일정 조정
③ 미디어 기술의 발전　　④ 스포츠보도 위상 제고

■ 경기일정 조정은 미디어가 스포츠에 미치는 영향이다.

정답　25 : ④, 26 : ③, 27 : ④, 28 : ④, 29 : ②

필수문제

30 **스포츠의 상업화에 따른 스포츠와 미디어의 관계에 대한 설명으로 적절하지 않은 것은?**

① 스포츠는 미디어의 주요 콘텐츠로 자리 잡을 때 경제적 가치를 인정받을 수 있다.
② 뉴미디어의 등장으로 스포츠 콘텐츠의 생산자와 수용자의 경계가 모호해지고 있다.
③ 스포츠가 미디어에 의존할수록 미디어의 스포츠에 대한 통제력은 감소한다.
④ 미디어는 상업적 가치를 증가시키기 위해 스포츠 규칙의 변화를 요구한다.

■ 스포츠가 미디어에 의존할수록 미디어의 스포츠에 대한 통제력은 증가한다.

심화문제

31 **현대 스포츠 발전에 미디어가 기여한 내용으로 볼 수 없는 것은?**

① 스포츠 경기규칙이 변화되지 않도록 기여하였다.
② 스포츠 실시간 중계가 가능해졌다.
③ 스포츠 대중화에 기여하였다.
④ 스포츠 정보 습득이 용이해졌다.

■ 미디어의 발전은 경기규칙의 변화를 유도하였다.

32 **다음 중 미디어가 스포츠에 미치는 영향으로 옳지 않은 것은?**

① 스포츠규칙 변경 및 경기일정 변경　② 스포츠에 대한 관심과 인기 증대
③ 스포츠 상품화　④ 스포츠 관중의 감소

33 **다음 보기는 스포츠와 미디어의 관계에 대한 설명이다. (　　)에 들어갈 가장 적절한 용어는?**

스포츠는 신문판매 증진, 광고수익, TV와 라디오 방송시간을 이용한 수익 계약의 증대 등에 이용되고 있으며, 반대로 미디어는 스포츠와 관련된 소비상품을 경기 장소에서 관람객들에게 판매하도록 돕는다. 이러한 이유를 들어 스포츠와 미디어는 (　　)에 있다고 할 수 있다.

① 경쟁관계　② 공생관계
③ 비례관계　④ 갈등관계

■ 19번 문제 참조

34 **스포츠가 대중매체에 미친 영향으로 옳은 것은?**

① 흥미위주의 스포츠 규칙 개정　② 미디어 테크놀로지 발전과 콘텐츠 제공
③ 스포츠에 대한 관심과 참여 증대　④ 경기기술의 전문화와 표준화

■ p. 42 참조

정답　30 : ③, 31 : ①, 32 : ④, 33 : ②, 34 : ②

06 Chapter 스포츠와 사회계층

사회계층의 이해

☞ 권력, 부, 사회적 평가, 심리적 만족도 등이 불평등하게 배분되어서 여러 층의 위계질서가 생긴 것이다.

☞ 경제적인 요인뿐만 아니라 사회 · 문화적인 요인에 의해서도 계층이 나누어진다.

☞ 사회적 희소가치가 불평등하게 배분된 상태가 구조화된 것이다.

계층과 계급의 차이점

계층	계급
사회적 지위의 높고 낮음을 분류한 것	상호 지배 및 복종관계를 가지고 있는 실체로서의 사회집단
연속적인 상하구조가 뚜렷함	실제적 · 대립적 관계가 있음
집합의식이 있음	집합의식이 없음

사회계급 이론

마르크스(K. Marx)	계급을 규정하는 핵심적인 차원으로 경제적 요인을 제시한다. 경제적으로 사회계층의 형성과 발달 경위를 설명
베버(M. Weber)	사회계층을 단순하게 경제적 현상으로 설명할 수 없는 복잡한 다차원적인 현상임을 설명
라이트(Wright)	자본가 계급은 투자나 화폐, 물리적 생산수단, 노동력 등에 대한 통제력이 있으나, 노동자 계급은 3가지 통제력을 모두 가지고 있지 않음을 지적함.

스포츠계층의 특성

▶ 스포츠계층……**스포츠 내에서의 사회계층을 스포츠계층이라고 한다.**

사회성	그 사회의 사회 문화적인 측면과 관련이 있다.
역사성	시대에 따라서 스포츠계층이 변한다.
보편성	언제 어디서나 보편적으로 스포츠계층이 존재한다.
다양성	스포츠계층이 아주 다양하게 있고, 계층 이동이 가능하다.
영향성	스포츠계층이 그 사람의 생활 전체에 영향을 미친다.

1 스포츠계층이 만들어지는 과정(T.M.Tumin의 스포츠계층 형성 과정)

역할분담 (지위의 분화)	스포츠사회의 구성원들 사이에 역할분담이 이루어진다.
서열화	구성원 각자가 수행하는 역할에 따라서 서열화가 이루어진다.
평가	각 구성원이 수행하는 역할에 대한 가치와 유용성을 평가한다.
보수부여	평가의 결과에 따라서 불평등하게 자원을 분배한다. 스포츠계층이 만들어진 것이다.

2 스포츠계층의 형성과정 중 보수부여에서 보수의 종류

재산	봉급, 상금, 상품 등 재화나 용역에 관한 권리.
권한	자신의 의지대로 추진할 수 있는 권한.
심리적 만족	명성이나 인기 등과 같이 타인의 반응에 의해서 얻는 비물질적인 보수.

3 기능주의적 관점에서 본 스포츠계층

☞ 일반사회의 가치체계를 반영하고 있고, 사회통합과 체제유지의 기능이 있다.
☞ 일반사회의 차별적인 보상체계와 계층구조를 강화한다.
☞ 경쟁에서 성공을 강조하여 유능한 인재의 참여를 유도한다.
☞ 스포츠참여는 사회적 상승이동을 위한 수단이다.

4 갈등주의적 관점에서 본 스포츠계층

☞ 부와 권력 등이 불공평하게 배분되는 구조를 반영하고 있고,
☞ 지배집단이 자신들의 이익을 유지·증진시키려고 노력하고 있다.
☞ 권력집단이 대중을 통제하기 위한 수단으로 이용되고 있다.
☞ 자본가들이 자기들의 사상을 주입하여 그들의 이익을 추구하고 대중을 착취한다.
☞ 스포츠는 참여자 간의 소외를 조장한다.

사회계층에 따른 차이

☞ 중 · 상류층은 직접참여와 직접관람을 선호하고, 하류층은 간접참여와 간접관람을 선호한다.
☞ 위의 차이는 시간적 · 경제적 여유의 차이가 주원인이다.
☞ 상류층은 일과시간이 불규칙하기 때문에 소수의 인원이 즐길 수 있는 개인종목을 선호할 수밖에 없게 된다.
☞ 일반적으로 개인종목 스포츠가 비용이 많이 들기 때문에, 상류층의 과시적 소비경향 때문에, 부모가 권해서 또는 어렸을 때부터 개인종목 스포츠를 접했기 때문에 상류층이 개인종목을 선호한다.

스포츠참여가 계층의 상승이동에 미치는 영향

1 긍정적인 영향

☞ 프로선수와 같은 전문 직업을 가질 수 있는 기회가 생긴다.

☞ 특기자로 상급학교에 진학하고, 경제적 · 직업적 후원이나 장학금을 받을 수 있는 기회가 넓어진다.

☞ 스포츠조직에서 사회적으로 가치 있는 행동양식과 태도를 배운다.

2 부정적인 영향

☞ 운동선수로 성공할 확률이 대단히 낮다는 사실을 은폐하기 때문에 계층의 상승이동에 나쁜 영향을 미친다.

☞ 스포츠는 불평등한 사회현실을 은폐하는 수단이다.

☞ 스포츠 선수들은 일반학생들과 형성해야 할 기본적인 인성을 함양하지 못 한다.

스포츠 참가가 사회이동에 기여하는 역할(Coakley : 2009)

1 상향적 이동에 기여하는 조건

☞ 대학을 졸업하거나 운동을 하면서 가치 있는 것을 배웠을 때

☞ 성장 · 발달 과정 중에 가족으로부터 사회적 · 물질적 · 정서적으로 일관된 지지를 받을 때

☞ 영향력 있고 도움을 줄 수 있는 사람과 유대를 가졌을 때

2 하향적 이동에 기여하는 조건

☞ 스포츠 참가가 교육적 성취를 제한했을 때

☞ 스포츠 외의 것에 대해 성장 · 발달 과정 중에 가족들로부터 지지를 받지 못했을 때

☞ 스포츠 외의 다른 세계를 알지 못할 때

사회 이동의 유형(A. Giddens)

1 이동주체에 의한 구분

☞ 개인이동 : 개인의 능력과 노력에 의하여 상승이동 실현

☞ 집단이동 : 유사 집단이 일정한 계기에 의하여 상승이동 실현

2 이동방향에 의한 구분

☞ 수직이동 : 계층구조 안에서 개인 또는 집단의 지위가 상승 또는 하강하는 것

☞ 수평이동 : 지위의 변화가 없는 단순한 자리바꿈

3 시간적 거리(기간)에 의한 구분

☞ 세대 간 이동 : 한 세대에서 다음 세대로 이어질 때 나타나는 지위의 변화

☞ 세대 내 이동 : 한 개인의 생애를 통하여 나타나는 지위의 변화

사회계층별 스포츠 참가유형 및 종목 비교

참가유형	참가종목
» **상류층**은 중류층이나 하류층의 사람보다 참여 스포츠를 선호함. » 스포츠는 주로 시간과 경제적 여유가 풍부한 부유층이나 귀족 계급이 참가하여 재력이나 사회적 지위를 과시하는 수단임. » 스포츠 참가는 관람에 비하여 장비구입 · 시설이용 등에 지출되는 비용이 과중하므로 경제적 부담과 시간이 요구됨. » 상대적으로 경제적 여유나 시간이 풍부하지 못한 **하류층**은 스포츠 참가가 제한됨.	» 스포츠 특유의 역사성 · 경제성 · 공간성 · 시간성 등으로 사회 계층적 자아를 분명하게 파악할 수 있음. » **상류층**은 테니스 · 골프 · 수영과 같이 경제적 여유를 전제로 하는 개인 스포츠에 가장 많이 참여함. » **중 · 하류층**은 축구 · 야구 · 복싱 · 씨름 등과 같이 단체 스포츠 및 투기 스포츠의 참여율이 높음.

상류층이 개인 스포츠에 많이 참여하는 이유

☞ 개인 스포츠는 하류층이 즐기기에는 경제적으로 과중한 비용이 부담됨.

☞ 체계적인 스포츠 사회화 과정에서 상류층은 개인 스포츠 종목을 강조하는 생활습관이 조성되어 있음.

☞ 과시 소비와 관련하여 상류층은 사치스러운 활동을 주위 사람들에게 인식시키기 위하여 개인 스포츠에 참여함.

☞ 불확실한 일과 시간에 따른 직업적 특성에 기인함.

고령자층의 스포츠활동 참여 성향

☞ 건강, 체형관리, 사회적 관계 등에 중점을 둔 스포츠를 선호한다.

☞ 게이트볼, 볼링 등 신체접촉이 배제된 스포츠를 선호한다.

☞ 체력과 집중력이 약하므로 위험하지 않은 스포츠를 즐긴다.

사회이동 기제로서의 스포츠(J. Loy와 G. Leonard)

☞ 스포츠가 사회이동 기제 역할을 함

» 스포츠 참가는 사회적 상승이동 촉진의 매개체임.

» 스포츠 참가는 은퇴 후 직업상 혜택을 받을 수 있어 사회생활에 도움이 됨.

» 스포츠 참가는 교육의 성취도에 직 · 간접으로 기여함.

» 스포츠 참가는 사회생활의 태도 및 사회적 기준을 향상시킴.

» 전문직에 속하는 기술습득 기회를 얻을 수 있음.

☞ 스포츠가 사회이동 기제 역할을 하지 못함

» 과도한 훈련 및 잦은 경기 참가로 교육성취도가 저하됨.

» 학교 재원을 운동경기에 과다 투입함으로써 교육의 본질적 기능이 왜곡될 수 있음.

필수 및 심화 문제

필수문제

01 사회계층과 스포츠의 관계를 설명한 것이다. 옳지 못한 것은?

① 스포츠활동을 선택할 때 경제적 · 사회문화적 배경에 의해서 제한을 받는다.
② 능력이 있는 사람만 성공할 수 있고, 부족한 사람은 실패할 수밖에 없다는 믿음을 확산시킨다.
③ 경제적 불평등을 당연한 것으로 받아들이게 한다.
④ 사회계층은 스포츠 참여와는 관련이 없다.

■ 사회계층에 따라서 스포츠참여의 불평등 현상이 나타나고, 그것을 해소시키려고 노력하는 것 중 하나가 스포츠복지정책의 시행이다.

심화문제

02 사회계층의 측정내용과 측정방법을 연결한 것이다. 적합하지 못한 것은?

① 집단 내의 영향력 : 타인에 의한 평가
② 계층의식 : 자기평가
③ 사회 · 경제적 지위 : 계층변수(직업, 소득수준, 교육수준 등)로 측정
④ 서열 : 평가기관에서 평가

■ 사회계층의 서열을 측정하는 평가기관은 없다.

03 사회계층을 잘못 설명한 것은?

① 사회적 희소가치가 불평등하게 배분된 상태가 구조화된 것이다.
② 권력, 부, 사회적 평가, 심리적 만족도 등의 불평등으로 여러 층의 위계질서가 생긴 것이다.
③ 경제적인 요인뿐만 아니라 사회 · 문화적인 요인에 의해서도 계층이 나누어진다.
④ 양반과 상놈처럼 태어날 때부터 생긴다.

■ 사회계층은 태어날 때부터 생기는 것이 아니다.

04 스포츠계층이 만들어지는 과정에 대한 설명이다. 옳지 않은 것은?

① 역할분담(지위의 분화) : 스포츠사회의 구성원들 사이에 역할분담이 이루어지는 과정
② 서열화 : 구성원 각자가 수행하는 역할에 따라서 서열화가 이루어지는 과정
③ 평가 : 각 구성원이 수행하는 역할에 대한 가치와 유용성을 평가하는 과정
④ 보수부여 : 평가의 결과로 주어지는 자원의 분배과정

■ 모두 옳다.

정답 01 : ④, 02 : ④, 03 : ④, 04 : 없음

필수문제

05 스포츠계층을 구조기능주의적 관점에서 설명한 것과 갈등론적 관점에서 설명한 것을 서로 비교한 것이다. 옳지 않은 것은?

	구조기능주의적 관점	갈등론적 관점
①	일반사회의 가치체계를 반영하고 있고, 사회통합과 체제유지의 기능이 있다.	부와 권력 등이 불공평하게 배분되는 구조를 반영하고 있고, 지배집단이 자신들의 이익을 유지 · 증진시키려고 노력하고 있다.
②	일반 사회의 차별적인 보상체계와 계층구조를 강화한다.	권력집단이 대중을 통제하기 위한 수단으로 이용되고 있다.
③	경쟁에서 성공을 강조하여 유능한 인재의 참여를 유도한다.	자본가들의 이데올로기를 주입하여 그들의 이익을 추구하고 대중을 착취한다.
④	스포츠는 참여자 간의 소외를 조장한다.	스포츠참여는 사회적 상승이동을 위한 수단이다.

■④는 구조기능주의적 관점과 갈등론적 관점이 서로 바뀌었다.

심화문제

06 보기의 괄호 안에 들어갈 용어는?

보기
부르디외(P. Bourdieu)는 생활양식과 같은 사회문화적 요소를 계급결정 요인으로 간주하고 이를 자본의 개념으로 다루었다. 이 개념에 따르면 스포츠는 구체화된 (   )의 한 형태로써 사회의 계층구조에 관여한다.

① 경제자본　　② 사회자본　　③ 문화자본　　④ 소비자본

■부르디외는 프랑스의 사회학자로, 사회학을 '구조와 기능의 자원에서 기술하는 학문'으로 파악하였다. 그는 "우리는 눈에 보이지 않는 **문화권력**(문화자본)이라고 하는 상징적 폭력 아래서 계급적 불평등을 망각하고 익숙하게 살아가고 있다."고 주장하였다.

07 스포츠계층의 특성에 대한 설명으로 옳은 것은?

① 보편성 : 스포츠계층은 사회적 상황에 따라 다르게 형성된다.
② 고래성 : 스포츠계층은 역사발전 과정을 거치며 변천해왔다.
③ 경쟁성 : 스포츠계층은 사회계층을 반영한다.
④ 다양성 : 스포츠계층은 모든 국가와 사회에 존재한다.

■스포츠계층은 시대에 따라 변화해 왔다.
· **보편성** : 스포츠계층은 언제 · 어디서나 보편적으로 존재한다.
· **경쟁성** : 스포츠계층은 경쟁으로 인한 이동성이 있다.
· **다양성** : 스포츠계층은 아주 다양하게 있고, 계층이동이 가능하다.

08 스포츠와 계급 · 계층에 대한 설명으로 옳지 않은 것은?

① 부르디외(P. Bourdieu)의 계급론에 따르면, 골프는 상류계급의 스포츠로 분류된다.
② 베블렌(T. Veblen)의 계급론에 따르면, 상류계급이 스포츠에 참가하는 이유는 자신의 지위를 과시하기 위해서이다.
③ 마르크스(C. Marx)의 계급론에 따르면, 운동선수는 생산수단을 소유한 지배계급에 속한다.
④ 베버(M. Weber)의 계층론에 따르면, 프로스포츠에서 감독과 선수의 사회계층 수준은 연봉액수만으로 평가되지 않는다.

■운동선수는 피지배계급에 속한다.
■p. 50 참조

정답 05 : ④, 06 : ③, 07 : ②, 08 : ③

■ ㉠ 스포츠계층은 스포츠의 특성에 의해서 생기는 것이 아니라, 그 사회의 사회문화적인 측면과 관련이 있다. ㉤ 스포츠계층은 그 사람의 생활 전체에 영향을 미친다.

■ 스포츠종목 사이에도, 같은 스포츠종목 안에서도 스포츠계층이 나타나고 있다.

■ 스포츠계층의 특성 : 사회성, 역사성, 보편성, 다양성, 영향성

■ 언제든지 어디에서나 볼 수 있는 사례가 보편성이 있는 사례이다.

필수문제

09 보기는 스포츠계층의 특성을 설명한 것이다. 잘못 설명한 것들만 묶은 것은?

보기
㉠ 사회성 : 스포츠의 본질적 특성에 의해서 스포츠계층이 생긴다.
㉡ 고래성(역사성) : 시대에 따라서 스포츠계층이 변한다.
㉢ 보편성(편재성) : 스포츠계층이 언제 어디서나 보편적으로 존재한다.
㉣ 다양성 : 스포츠계층이 아주 다양하게 있고, 계층 이동이 가능하다.
㉤ 영향성 : 스포츠계층이 개인의 운동능력에 영향을 미친다.

① ㉡ ㉢　② ㉠ ㉤　③ ㉣ ㉤　④ ㉢ ㉣

심화문제

10 스포츠계층을 가장 잘 설명한 것은?

① 스포츠계층과 사회계층은 유사하기 때문에 구분할 필요가 없다.
② 스포츠 내에서의 사회계층을 스포츠계층이라고 한다.
③ 사회의 희소가치가 스포츠세계의 성원들 사이에서 균등하게 분배되기 때문에 스포츠계층이 생긴다.
④ 사람 사이에는 스포츠계층이 있지만, 스포츠종목 사이에는 스포츠계층이 없다.

11 보기에서 괄호 안에 적합한 용어는?

보기
(　　)이란 스포츠라는 특정 사회제도 내에서 개인의 사회적, 문화적, 생물학적 특성에 따라 권력, 부, 사회적 평가, 심리적 만족 등이 특정 집단이나 개인 및 종목에 차별적으로 배분되어 만들어진 위계적 체계를 의미한다.

① 스포츠집단　② 스포츠조직　③ 스포츠계층　④ 스포츠경쟁

12 보기 중에서 스포츠계층의 특성이 아닌 것을 모두 고른 것은?

보기
다양성, 사회성, 보편성, 영향성, 창조성, 객관성, 차별성, 독립성

① 창조성, 객관성, 차별성, 독립성　② 객관성, 차별성, 독립성
③ 차별성, 독립성　④ 독립성

13 스포츠계층의 특성 중 '보편성(편재성)'의 사례로 적절하지 않은 것은?

① 스포츠는 인기종목과 비인기종목으로 구분된다.
② 태권도, 유도는 승단체계에 따라 종목 내 계층이 형성된다.
③ 프로스포츠 태동 이후 운동선수들의 지위가 향상되고 있다.
④ 종합격투기는 체급에 따라 대전료와 중계권료 등에 차등이 있다.

정답　09 : ②, 10 : ②, 11 : ③, 12 : ①, 13 : ③

필수문제

14 보기를 투민(M. Tumin)의 스포츠계층 형성과정 순서에 따라 바르게 배열한 것은?

㉠ 세계적인 테니스 선수는 기업으로부터 많은 후원금을 받고 있다.
㉡ 세계랭킹에 따라 참가할 수 있는 테니스 대회가 나누어져 있다.
㉢ 테니스는 선수, 코치, 감독, 트레이너 등으로 역할이 구분되어 있다.
㉣ 국제 테니스 대회에서 우승하면 사회적 명성이 높아진다.

① ㉠-㉣-㉢-㉡　② ㉢-㉡-㉣-㉠
③ ㉡-㉣-㉠-㉢　④ ㉣-㉢-㉡-㉠

■ 스포츠계층의 형성과정은 역할분담(지위와 문화)→서열화→평가→보수부여이다.
㉠ 보수부여, ㉡ 서열화, ㉢ 역할분담, ㉣ 평가

심화문제

15 보기에서 설명하는 투민(M. Tumin)의 스포츠계층 형성 과정은?

보기
» 스포츠 종목에서 요구되는 우수한 운동수행능력을 갖추어야 한다.
» 뛰어난 경기력뿐만 아니라 탁월한 개인적 특성을 갖추어야 한다.
» 스포츠 팀 구성원으로 자신의 능력이 팀 승리에 미치는 영향력이 커야 한다.

① 평가　② 지위의 분화
③ 보수부여　④ 지위의 서열화

■ 보기는 지위의 서열화에 관한 설명임 (p. 51 참조)

16 적재적소에 인재 배치를 주요 목적으로 하는 것은?

① 지위의 분화　② 지위의 평가
③ 지위의 서열화　④ 보수 부여

■ 서열화의 중요목적은 적재적소에 필요한 인재를 배치하는 것을 쉽게 하는 데 있다.

17 보기는 스포츠계층의 형성과정을 도표로 그린 것이다. [ ] 속에 들어갈 내용으로 가장 알맞은 것은?

보기
역할분담(지위의 분화) → 서열화 → [ ] → 보수부여

① 기회　② 평가　③ 생활　④ 관점

■ 평가란 유용성의 정도에 따라 각기 다른 위치에 지위를 적절하게 배열하는 것.

정답　14 : ②, 15 : ④, 16 : ③, 17 : ②

필수문제

18 투민(M. M. Tumin)의 스포츠계층 형성과정 중 보기의 설명에 해당되는 것은?

> 보기
> 축구에서 우수한 미드필더 자원이 되기 위해서는 체격, 체력, 순발력 등의 뛰어난 신체적 능력뿐 아니라 경기의 흐름을 읽고 조율할 수 있는 통찰력 등 탁월한 개인적 특성을 갖추고 있어야 한다.

① 평가 ② 지위의 분화 ③ 보수부여 ④ 지위의 서열화

▪ 탁월한 개인적 특성을 갖추는 것은 지위의 분화를 넘어서서 서열화가 이루어진 것이다.

심화문제

19 역할분담(지위분화)이 그 기능을 효과적으로 발휘할 수 있는 조건이다. 옳지 않은 것은?

① 업무가 명확하게 구별되어 있어야 한다.
② 각자가 맡은 역할에 대한 책임과 권한이 분명하게 분류되어 있어야 한다.
③ 구성원들이 자신의 역할을 효과적으로 수행할 수 있도록 조직이 만들어져 있어야 한다.
④ 봉급을 주니까 임무를 성실히 수행하는 것은 당연하고, 더이상 보상할 필요는 없다.

▪ 역할분담이 효율적으로 기능을 발휘하려면 보상체계가 마련되어 있어야 한다.

20 스포츠계층의 형성과정 중 서열화에 대한 설명이다. 바르지 못한 것은?

① 지식, 용모, 체력과 같은 개인적 특성은 배제된다.
② 역할수행에 필요한 기능과 능력에 의해서도 서열화가 이루어진다.
③ 역할수행이 개인이나 사회에 미치는 영향에 의해서도 서열화가 이루어진다.
④ 서열화가 이루어지면 적당한 위치에 적당한 인재를 배치하기 쉬워진다.

▪ 개인적 특성(지식, 용모, 체력 등)에 의해서도 서열화가 이루어진다.

21 스포츠계층의 형성과정 중 보수부여에서 보수의 종류에 대한 설명이다. 바르지 못한 것은?

① 재산 : 봉급, 상금, 상품 등 재화나 용역에 관한 권리
② 권한 : 자신의 의지대로 추진할 수 있는 권한
③ 심리적 만족 : 명성이나 인기 등과 같이 타인의 반응에 의해서 얻는 비물질적 보수
④ 인기 : 대중의 주목을 받거나 명성을 얻는 것

▪ 인기는 심리적 만족의 일부분이다.

22 스포츠계층의 형성과정 중에서 평가단계에 대한 설명으로 옳은 것은?

① 지위를 적절하게 배치하는 과정이다.
② 자원과 권한을 배분하는 과정이다.
③ 인재를 배치하고 관리하는 과정이다.
④ 조직을 만들어가는 과정이다.

▪ ①은 지위의 분화, ②는 보수부여, ③은 평가단계에 대한 설명이다.

정답 18 : ④, 19 : ④, 20 : ①, 21 : ④, 22 : ③

필수문제

23 보기에서 설명하는 케년(G. Kenyon)의 스포츠 참가유형은?

> 보기
> » 스포츠 상황 내에서 다양한 지위와 규범을 이행함으로써 스포츠에 실질적으로 참가하는 형태
> » 생활체육 동호인, 선수, 감독, 심판, 해설자로 활동

① 정의적 참가 ② 행동적 참가
③ 인지적 참가 ④ 조직적 참가

■ 케년은 스포츠활동 참가유형을 **행동적 참가**(몸으로 직접 참가하는 것), **인지적 참가**(TV시청이나 경기장에서 직접 관람), **정의적 참가**(마음속으로만 참가)로 나누었다.

심화문제

24 계층에 따라서 스포츠참가 및 관람유형에 차이가 나는 것을 설명한 것이다. 옳은 것은?

① 저소득층일수록 생활체육 참여율이 높다.
② 고소득층은 저소득층에 비해서 스포츠참여에 제약을 많이 받는다.
③ 스포츠이벤트의 관람료 차이가 경제적 계층을 구분한다.
④ 고소득층은 정신적 여유가 부족하여 생활체육에 참여하기 어렵다.

■ 관람료 차이에 의해 경제적 계층이 구분된다.

25 사회계층에 따른 스포츠참여 및 관람유형의 차이를 설명한 것이다. 옳은 것은?

① 하류층은 직접참여, 중 · 상류층은 간접참여를 선호한다.
② 하류층은 직접관람, 중 · 상류층은 간접관람을 선호한다.
③ 위의 차이는 시간적 · 경제적 여유의 차이가 주원인이다.
④ 위의 차이는 부모로부터 물려받은 것이다.

■ 중 · 상류층은 직접참여와 직접관람을 선호하고, 하류층은 간접참여와 간접관람을 선호한다.

26 스포츠에 참가하는 형태를 분류한 것이다. 내용이 전혀 다른 것은?

① 행동적 참가 ② 조직적 참가
③ 인지적 참가 ④ 정의적 참가

■ 한 개인이 개인적으로 스포츠에 참가하는 형태를 분류한 것이다.

27 상류층이 개인종목에 참가하는 것을 선호하는 이유라고 보기 어려운 것은?

① 상류층은 일과시간이 비교적 일정하기 때문에
② 상류층의 과시적 소비경향 때문에
③ 사회화 과정에서 대물림이 되어서(부모가 권해서 또는 어렸을 때부터 개인종목 스포츠를 접했기 때문에)
④ 일반적으로 개인종목 스포츠가 비용이 많이 들기 때문에

■ 상류층은 일과시간이 불규칙하기 때문에 소수의 인원이 즐길 수 있는 개인종목을 선호할 수밖에 없게 된다.

정답 23 : ②, 24 : ③, 25 : ③, 26 : ②, 27 : ①

필수문제

28 상류계급의 스포츠 참가 특징에 대한 설명으로 적절하지 않은 것은?

① 과시적 소비성향의 스포츠를 선호한다.
② 사생활이 보호되는 장소에서 소수 인원이 즐기는 스포츠 참여를 선호한다.
③ 요트, 승마와 같은 자연친화적 개인 스포츠를 선호한다.
④ 직접 참여보다는 TV 시청을 통한 관람스포츠를 소비하는 경향이 높다.

■ 중상류층은 스포츠의 직접참여와 직접관람을 선호하고, 하류층은 간접참여와 간접관람을 선호한다.

심화문제

29 사회계층에 따라 스포츠 참가종목이 다른 이유가 아닌 것은?

① 상류층은 과시적 소비 경향이 있으므로
② 개인스포츠는 단체스포츠에 비해서 많은 비용이 발생하므로
③ 상류층은 다른 계층이 접근하기 어려운 종목을 선호하므로
④ 중 · 상류층은 일정(스케줄)이 일정하여서 단체스포츠에 참여하기 적합하므로

■ 중 · 상류층은 일과 시간이 불규칙하여 개인종목을 선호할 수 밖에 없다.

30 스포츠 참가와 사회계층에 대한 설명이다. 올바르지 않은 것은?

① 스포츠 참가유형은 계급에 따라 달라지며, 상류층은 직접참가, 중 · 하류층은 간접참가를 하는 경향이 있다.
② 소득과 학력이 높고 직업과 지위가 높은 사람들이 활동적인 스포츠의 참가비율이 높다.
③ 건강 운동의 경우에는 중류층보다 저소득층 · 상류층 사람들이 더 많이 참가한다.
④ 소득수준과 학력수준이 신체활동 참여비율에 영향을 미친다.

■ 건강운동은 상류층 사람들이 많이 참여한다.

31 계층별 스포츠 참가에 대한 설명으로 옳지 않은 것은?

① 계층별 사회적 조건에 따라 스포츠 참가 유형에 차이가 나타난다.
② 하류계층은 경제적 조건 때문에 상류계층보다 상대적으로 스포츠의 직접관람률이 낮다.
③ 상류계층은 자신의 경제적 여유를 드러내려는 속성으로 인해 하류계층보다 단체스포츠 참가를 더 선호한다.
④ 상류계층은 특정 종목을 강조하는 분위기에 따라 사회화과정에서 해당종목에 자연스럽게 익숙해지게 된다.

■ 상류층은 개인스포츠 참여를 선호한다.

32 스포츠에서의 사회계층에 관한 설명으로 옳지 않은 것은?

① 스포츠라는 사회체계 내에서 계층이 형성되는 것을 의미한다.
② 스포츠는 상이한 계층 간의 사회적 상호작용을 가능하게 한다.
③ 사회계층은 선호하는 스포츠 종목에 영향을 미친다.
④ 사회적 지위가 높을수록 일차적 관람보다 이차적 관람을 선호하는 경향이 있다.

■ 상류층은 직접참여와 직접관람을 선호한다.

정답 28 : ④, 29 : ④, 30 : ③, 31 : ③, 32 : ④

필수문제

33 보기의 내용을 기든스(A, Giddens)의 사회계층 이동 준거와 유형으로 바르게 묶은 것은?

보기

» K는 가난한 가정에서 태어나 끊임없는 훈련을 통해 축구 월드스타가 되었다.

» 월드스타가 되고 난 후, 축구장학재단을 만들어 개발도상국에 축구학교를 설립하여 후진양성에 큰 역할을 하고 있다.

	이동의 방향	이동 방향	시간적 거리
①	개인	수직이동	세대내이동
②	개인	수평이동	세대간이동
③	집단	수직이동	세대간이동
④	집단	수평이동	세대내이동

■사회 이동의 주체 : K
■이동 방향 : 가난한 가정에서 월드스타가 되었으므로 수직이동
■시간적 거리 : 개인의 생애에서 발생했으므로 세대 내 이동
■참조 → p. 52

심화문제

34 보기의 A 선수에 해당하는 사회계층 이동의 유형을 바르게 연결한 것은?

보기

A 선수는 2002년부터 2019년까지 프로축구리그 S 팀의 주전선수로 활동하면서 MVP 3회 수상 등 축구 선수로서 명성을 얻었다. 은퇴 후, 2020년부터 프로축구 A 팀의 수석코치로 활동하게 되었다.

	이동의 방향	시간적 거리	이동의 주체
①	수직이동	세대 간 이동	집단이동
②	수직이동	세대 내 이동	개인이동
③	수평이동	세대 간 이동	집단이동
④	수평이동	세대 내 이동	개인이동

■수직이동은 개인이 아래로 내려가거나 위로 올라가는 것. 시간적 거리 즉 이동범위는 같은 세대 내로 이동하였으므로 세대 내 이동. 이동의 주체 즉 이동원인은 개인의 노력으로 얻은 이동이므로 개인이동.

35 스포츠와 계층이동 유형에 대한 설명으로 적절한 것은?

① 수직이동은 한팀의 선수가 다른 팀으로 같은 대우를 받고 이적하는 경우를 말한다.
② 개인이동은 소속 집단이 특정 계기를 통하여 집합적으로 이동하는 것을 말한다.
③ 수평이동은 팀의 2군에 소속되어 있던 선수가 1군으로 승격하여 이동하는 경우를 말한다.
④ 세대 간 수직 이동은 운동선수가 부모보다 더 많은 수입과 명예를 얻게 되는 경우를 말한다.

■①은 수평이동, ②는 집단이동, ③은 수직이동.
■④ : 세대 간 수직이동은 한 세대에서 다음 세대로 이어지는 과정에서 발생하는 사회·경제적 지위의 변화를 말한다.

정답 33 : ①, 34 : ②, 35 : ④

36 사회계층 이동의 기제로서 스포츠의 역할이 아닌 것은?

① 스포츠활동의 참여로 경기력을 향상시켜 프로팀에 입단할 수 있는 기회가 생긴다.
② 수업결손 때문에 학업성취도가 낮아져서 계층이동의 기회가 줄어든다.
③ 특기자로 상급학교에 진학하고 장학금을 수령하는 등의 혜택을 받을 수 있다.
④ 스포츠에서 성공한 것이 은폐된다.

■ 스포츠에서 성공한 것은 은폐되지 않는다.

37 스포츠참여가 계층의 상승이동에 부정적인 영향을 미친다는 주장으로 보기 어려운 것은?

① 학습권 보장, 최저학력제의 도입 등으로 스포츠 선수들의 학업성취도가 향상된다.
② 스포츠가 성공이데올로기를 확산시킨다.
③ 스포츠는 불평등한 사회현실을 은폐하는 수단이다.
④ 스포츠 선수들은 일반학생들과 형성해야 할 기본적인 인성을 함양하지 못한다.

■ 학업성취도가 향상되면 계층의 상승이동에 도움이 된다.

필수문제

38 계층이동을 설명하는 내용이다. 옳지 않은 것은?

① 한 계층으로부터 다른 계층으로 옮겨가는 것이다.
② 이동방향을 기준으로 분류하면 수직이동, 수평이동, 수평적 · 수직적 이동이 있고, 수직이동에는 상승이동과 하강이동이 있다.
③ 시간을 기준으로 분류하면 세대 간 이동과 세대 내 이동이 있다.
④ 이동주체를 기준으로 분류하면 경선이동과 후원이동이 있다.

■ 이동주체를 기준으로 분류하면 개인이동과 집단이동이 있고, 이동의 원인을 기준으로 분류하면 경선이동과 후원이동이 있다.

심화문제

39 스포츠참여가 계층의 상승이동에 긍정적 영향을 미친다는 주장으로 보기 어려운 것은?

① 노력하면 누구나 성공할 수 있다는 성공이데올로기가 대중에게 확산된다.
② 프로선수와 같은 전문직업을 가질 수 있는 신체적 능력과 기량이 향상된다.
③ 경제적 · 직업적 후원이나 장학금을 받을 수 있는 기회가 넓어진다.
④ 스포츠조직에서 사회적으로 가치 있는 행동양식과 태도를 배운다.

■ 성공이데올로기는 운동선수로 성공할 확률이 대단히 낮다는 사실을 은폐하기 때문에 계층의 상승이동에 나쁜 영향을 미친다.

40 사회적 상승이동의 매개체로서 스포츠의 역할이 아닌 것은?

① 과도한 성공 신화의 확산　② 교육적 기회 제공 및 성취도 향상
③ 직업적 후원의 다양한 기회 제공　④ 올바른 태도 및 행동 함양

■ 과도한 성공신화의 확산은 사회계층의 상승 이동에 부정적인 영향을 미친다.

41 2군 감독에서 1군 감독으로 소속이 변경된 사회이동 유형은?

① 수평이동　② 하향이동　③ 수직이동　④ 세대 간 이동

정답 36 : ④, 37 : ①, 38 : ④, 39 : ①, 40 : ①, 41 : ③

42 **스포츠에서 계층상승의 원인이 될 수 없는 것은?**

① 사회적 상황의 변화
② 개인의 노력(개인적 상황)
③ 계급재생산
④ 팀의 성공

■ 계급재생산은 계급의 위치가 변하지 않고 다시 계급을 만드는 것이다.

필수문제

43 **로이(J. Loy)와 레오나르드(G. Leonard)가 제시한 사회이동 기제로서 스포츠 역할의 근거로 적절하지 않은 것은?**

① 프로스포츠 선수들은 다양한 형태의 후원 및 광고출연의 기회가 있다.
② 조직적인 스포츠 참가는 직 · 간접적으로 교육적 성취도를 향상시킨다.
③ 스포츠의 참가 기회 및 결과는 공정하기 때문에 상승이동에 기여한다.
④ 사회생활을 하는 데 가치 있다고 여겨지는 태도 및 행동 양식을 학습시킨다.

■ 스포츠가 사회이동 기제로 하는 역할
· 사회적 상승 이동 촉진
· 직업상 혜택 받음
· 교육기회 제공 및 성취도 향상
· 사회생활에 필요한 태도 및 행동양식 학습

심화문제

44 **계층상승의 매개체로서 스포츠가 하는 역할이 아닌 것은?**

① 직업후원의 기회 제공
② 장학금을 받을 수 있는 기회 제공
③ 신체적 기량 및 능력 발달
④ 스포츠신화(성공이데올로기)의 확산

■ 성공이데올로기의 확산은 계층상승의 기회를 줄어들게 한다.

심화문제

45 **수평적 계층이동에 대한 설명으로 바른 것은?**

① A팀에서 B팀으로 동등한 수준으로 트레이드
② 후보선수에서 주전선수로 이동
③ 선수에서 코치나 감독으로 이동
④ 대학팀 선수에서 프로팀 선수로 이동

46 **다음 중 고령자층의 생활방식 변화에 따른 스포츠활동 참여성향에 대한 설명으로 적절하지 않은 것은?**

① 근파워 위주의 스포츠를 즐김
② 건강, 체형관리, 사회적 관계 등에 중점을 둔 스포츠를 선호함
③ 게이트볼, 볼링 등 신체접촉이 배제된 스포츠를 선호함.
④ 체력과 집중력이 약하므로 위험하지 않은 스포츠를 즐김.

정답 42 : ③, 43 : ③, 44 : ④, 45 : ①, 46 : ①

07 Chapter 스포츠와 사회화

사회화의 개념

국어사전에서는 사회화라는 단어를 '인간이 사회의 한 성원으로 생활하도록 기성세대에 동화하는 것'이라고 설명하고 있다. 즉, 인간이 사회에 적응하며 살아가기 위해서 사회구성원들과의 상호작용을 통해서 사회생활에 필요한 가치 · 기술 · 지식 · 규범들을 학습하는 것을 말한다.

인간은 사회화를 통해 인간다운 품성과 자질을 획득해가면서 사회적 존재로 살아갈 수 있다.

1 사회화의 특징과 기능

☞ 인간은 서로 다른 환경에서 서로 다른 사회화를 겪게 된다.

☞ 교육은 개인을 사회화하는 중요한 기능을 한다.

☞ 한 개인이 사회화하는 과정에는 반드시 다른 사람의 도움이 필요하다.

☞ 사회화는 특정 시기에만 이루어지는 것이 아니다. 유아기나 아동기, 청소년기 등에 집중적으로 사회화가 이루어지기는 하지만 사회화는 평생에 걸쳐서 이루어진다.

☞ 사회화하는 구체적인 내용은 시대와 장소에 따라 다르다.

☞ 사회화는 기본적인 규율을 가르쳐서 사회적 제재를 따르게 한다.

☞ 개인으로 하여금 희망과 목표를 심어주는 동시에 제한한다.

☞ 개인의 자아정체성 확립에 도움을 준다.

☞ 사람들의 사회적 위치를 인식하고 각자의 역할을 인지하게 한다.

☞ 기술을 가르쳐 다음 세대에게 전수될 수 있도록 한다.

▶ 사회화를 보는 관점

구조 기능주의적 관점	⇨ 사회화를 통해서 사회가 유지된다. ⇨ 사회화를 통해서 개인의 자아를 실현한다.
갈등론적 관점	⇨ 사회화 때문에 불평등 구조가 유지된다. ⇨ 사회화를 통해서 지배와 피지배의 관계를 정당화한다.
상징적 상호작용론적 관점	⇨ 개인은 다른 사람과의 상호작용에 의해서 사회화된다. ⇨ 개인의 생각과 행동이 변화되어 가는 과정이 사회화이다.

▶ 사회화의 기관

구분	특징	종류	내용
1차적 사회화 기관	자연발생적 비형식적 · 인격적 인간관계	가정	가장 기초적인 사회화 기관, 유년기에 중요한 사회화 기관 가족으로부터 언어, 예절 등의 기본적 행동양식 습득
		또래집단	자연적으로 구성되는 비슷한 나이의 친구 집단 집단의 규칙 및 질서 습득 → 청소년기에 중요한 사회화 기관
2차적 사회화 기관	특정한 목적을 가지고 인위적으로 형성. 형식적인 인간관계	학교	공식적 · 체계적 · 지속적인 사회화 기관 사회생활
		대중매체	여러 가지 지식과 정보 제공 → 현대사회에서 영향력이 커짐
		직장	성인의 사회화에 중요한 역할 담당, 업무와 관련된 지식 습득

스포츠사회화의 개념

☞ 사회화의 하위개념으로 스포츠로의 사회화, 스포츠를 통한 사회화, 스포츠로부터의 탈사회화, 스포츠로의 재사회화로 나눌 수 있다.

☞ 개인이 스포츠에 참여하여 그 사회의 문화를 체득하고 자신의 특성을 발휘하는 과정이다.

☞ 스포츠와 관련된 상황에서 발생하는 사회화이다.

스포츠사회화를 설명하는 이론들

사회학습 이론	사회에서 학습하고, 그 사회에 알맞은 역할을 수행한다. **강화** : 벌에 의해서 부정적으로 강화되면 행동이 억제되고, 상에 의해서 긍정적으로 강화되면 행동이 지속될 가능성이 커진다. **코칭** : 누군가 다른 사람(사회화의 주관자)을 통해서 가르침을 받는다. **관찰학습** : 다른 사람의 행동을 관찰하고 그것을 역할 수행에 반영한다.
역할 이론	개인의 경험에 의해서 학습하고 구성원들의 상호작용에 의해서 자신의 역할을 수행하려고 노력하는 과정에서 사회화가 이루어진다. 개인이 사회화 과정을 통해서 집단에 소속된 다음 그 사회의 일원으로서 기능을 발휘할 수 있게 변화되는 것을 설명하는 이론이다.
준거집단 이론	인간은 어떤 집단이나 타인에게 자발적으로 적응하고, 이들의 행동, 태도, 감정 등을 준거로 삼아서 자신의 행동, 태도, 감정 등을 형성해 나간다는 이론이다. 개인의 사회화에 영향을 미치는 준거집단에는 규범집단, 비교집단, 청중집단이 있다.

스포츠에 참여하는 요인

ⓐ 내적만족 = 즐거움 ⓑ 이저만족 = 보상 ⓒ 사회적 인정 = 사회적 결속

ⓓ 의무 = 스포츠에 참가하지 않으면 받게 될 불이익을 면하려고

ⓔ 스포츠 정체감 = 스포츠에 의존하고 있는 개인의 정체의식

스포츠사회화의 주관자

☞ 중요타자 또는 준거집단이라고도 한다.
☞ 가족, 또래집단, 학교, 지역사회, 대중매체 등이 있다.
☞ 주로 스포츠활동에 참여하도록 유도하거나, 계속해서 참여하도록 격려하는 역할을 한다.

1 스포츠로의 사회화

☞ 개인에게 스포츠에 참여하고자 하는 흥미와 관심을 유발함으로써 스포츠에 참가하도록 유도하는 것.

2 스포츠를 통한 사회화

☞ 스포츠활동에 참가해서 습득할 수 있는 다양한 가치
☞ 스포츠활동에 참가하는 다른 구성원들로부터 받는 자극에 의해서 형성되는 태도
☞ 스포츠활동에 참가해서 얻을 수 있는 다양한 역할경험 등

3 스포츠를 통한 역할사회화의 과정

예상 단계	확실한 지위나 역할이 부여되지 아니한 상태에서 어떤 역할을 수행하고 싶다는 기대를 가지고 있는 단계.
공식적 단계	자신의 능력과 행동에 관련해서 사회적으로 인정되는 지위를 얻게 되는 단계.
비공식적 단계	개인 간의 상호작용을 통해서 전달되는 비공식적인 기대가 있는 단계.
개인적 단계	경험을 바탕으로 자신의 역할에 대한 기대를 스스로 조절할 수 있는 단계.

4 스포츠를 통한 가치의 사회화

☞ 스포츠가 현대 사회의 일반적인 규범, 가치, 태도 등을 사회 구성원들이 쉽게 이해할 수 있도록 전달하는 역할을 한다.
☞ 스포츠와 일반사회는 구조와 조직이 아주 유사하기 때문에 자신에게 적합한 역할을 스포츠를 통해서 경험할 수 있다.

5 스포츠를 통한 태도의 사회화

☞ 스포츠가 가지고 있는 정서순화 기능에 의해서 인간관계를 원만하게 하고 밝은 분위기를 조성하는 태도를 갖게 된다.
☞ 뛰어난 선수나 지도자의 행동을 모방하면서 태도에 변화가 온다.
☞ 스포츠 상황에서는 자신의 입장보다는 집단의 입장이 강조되기 때문에 태도변화가 온다.
☞ 스포츠 집단에서는 집단의 행동규범에 동조하는 경향이 강하므로 태도에 변화가 온다.
☞ 스포츠 팀 내에서의 지위와 역할이 변함에 따라서 태도에 변화가 온다.

6 스포츠를 통한 가치형성

참가지향 가치	스포츠참가를 통해서 자기실현과 자기만족을 추구하는 가치체계이다.
공정강조 가치	자발적인 내적동기에 의한 스포츠 참가를 강조하는 가치체계이다.
업적지향 가치	탁월성을 내보이고 승리를 쟁취하려는 성취경향이 강한 가치체계이다.
승리강조 가치	경쟁에서 승리를 중시하고 패배를 낙오로 인식하는 가치체계이다.

7 스포츠를 통한 사회화의 전이

☞ 사회화주관자의 위력이 클수록 전이효과가 크게 나타난다.
☞ 스포츠활동에 참가한 빈도, 강도, 기간에 따라 전이 효과가 다르다.
☞ 비자발적 참가자보다 자발적 참가자의 전이효과가 크게 나타난다.
☞ 스포츠 참가를 통해서 인간관계가 형성되면 전이효과가 크다.
☞ 개인적 · 사회적 특성이 유사하면 전이가 잘 일어난다.

스포츠로부터의 탈사회화와 재사회화

☞ 자의나 타의에 의해서 스포츠참가를 중단하는 것이 스포츠로부터의 탈사회화이다.
☞ 청소년기에는 학교 공부, 군입대, 취업, 이사 때문에 스포츠로부터의 탈사회화가 발생한다.
☞ 운동기량의 부족 또는 저하 때문에 스포츠로부터의 탈사회화가 발생한다.
☞ 부상이나 미래에 대한 불안감 때문에 스포츠로부터의 탈사회화가 발생한다.
☞ 지도자와의 갈등이나 운동에 대한 싫증 때문에도 스포츠로부터의 탈사회화가 발생한다.

스포츠에로의 재사회화

조직화된 경쟁스포츠에 참여했던 사람이 어떤 이유에서 스포츠 참가를 일정 기간 중지했던(스포츠로부터의 탈사회화 했던) 사람이 새로운 동기에 의해 다시 스포츠에 참여하게 되는 것을 스포츠로의 재사회화라고 한다.

스포츠로의 재사회화에 영향을 미치는 5가지 변인은 다음과 같다.

⑧ 환경……성, 연령, 교육 정도, 계층
⑧ 취업……스포츠 이외의 직업에 취업할 수 있는 기회
⑧ 정서……스포츠가 자신의 자아정체에서 차지하는 정도
⑧ 역할사회화……스포츠 이외의 역할에 대한 사회화 정도
⑧ 인간관계……스포츠를 통한 사회화에 대한 주변 사람들의 만족도

필수 및 심화 문제

필수문제

01 스포츠사회화의 개념이다. 옳지 못한 것은?

① 사회화의 하위개념으로 스포츠로의 사회화, 스포츠를 통한 사회화, 스포츠로부터의 탈사회화, 스포츠로의 재사회화로 나눌 수 있다.
② 개인이 스포츠에 참여하여 그 사회의 문화를 체득하고 자신의 특성을 발휘하는 과정이다.
③ 스포츠와 관련된 상황에서 발생하는 사회화이다.
④ 개인이 자신이 좋아하는 스포츠선수의 행동을 따라서 하는 것이다.

■ ①, ②, ③은 스포츠사회화의 개념을 적어 놓은 것이다.

심화문제

02 스포츠사회화 과정에 영향을 미치는 '사회화의 상황'에 해당되는 것은?

① 접근성 ② 대중매체 ③ 사회적 지위 ④ 친구

■ 접근성은 사회화의 상황이고, 대중매체와 친구는 중요타자/준거집단에 속하고, 사회적 지위는 개인적 특성에 해당된다.

03 다음 중 스포츠사회화에 대한 설명으로 올바른 것은?

① 스포츠참여를 통해 스포츠집단이 가지는 가치관, 신념, 태도 등을 체득하는 과정이다.
② 스포츠에 개인이 참여하는 것만으로도 사회화는 이루어진다.
③ 스포츠는 집단의 형태로 이루어질 때 사회화가 극대화 된다.
④ 스포츠참여를 통해 개인의 발전만을 도모하기 위한 과정이다.

04 스포츠활동에 참여함으로써 개인의 태도에 변화를 주는 요인이 아닌 것은?

① 모방행동 ② 동조행동 ③ 역할행동 ④ 사회행동

■ 사회행동은 스포츠활동 참여로 개인의 태도에 변화를 주는 요인이 아니다.

05 보기의 내용에 나타나는 스포츠의 사회적 기능으로 옳은 것은?

보기
올림픽에서 농구 주전선수인 ㅇㅇ이는 1차전 경기에서 어깨에 심각한 부상을 입었다. 그러나 팀의 승리와 메달획득 때문에 감독은 응급처치 후 ㅇㅇ이를 다시 경기에 출전하도록 강요하였고 이후 부상이 심각해져서 결국 입원하게 되었다.

① 사회통제 기능 ② 사회차별 기능 ③ 신체소외 기능 ④ 신체적응 기능

■ 신체적 부상을 돌보지 않는 것은 신체소외이다.

정답 01 : ④, 02 : ①, 03 : ①, 04 : ④, 05 : ③

필수문제

06 보기의 내용에 해당하는 스포츠사회화 과정의 특징으로 옳은 것은?

> 보기
> ㅇㅇ이는 어린이날에 야구를 좋아하는 삼촌을 따라 처음으로 야구장에 가게 되었다. 처음 보는 현장 경기에서 실제로 본 선수들의 모습이 너무 멋있었다. 다음 날 부모님을 졸라 주변에 있는 리틀 야구단에 입단하였다.

① 스포츠 경험을 통해 자신이 속한 특정 사회의 가치, 태도, 행동양식을 습득하는 과정
② 사회화 주관자나 준거집단의 영향을 수용하여 스포츠에 참가하게 되는 과정
③ 스포츠를 통해서 페어플레이, 바람직한 시민의식 같은 인성 · 도덕적 성향이 함양되는 과정
④ 스포츠 활동에서 학습한 기능, 특성 등이 다른 사회현상으로 전이 또는 일반화되는 과정

■ 〈보기〉는 스포츠로의 사회화과정에 관한 설명이다. 이것은 유년기부터 성인기까지 받은 스포츠 참여 경험에 의해 긍정적 혹은 부정적인 영향이 스포츠 참가의 개입 수준을 증가 또는 감소시키는 단계이다. ①과 ③은 스포츠를 통한 사회화 과정에 의한 스포츠 참가의 결과를 뜻한다. ④는 여러 가지 요인으로 스포츠 참가 중단에 의한 스포츠로부터 탈사회화 과정이다.

심화문제

07 스포츠사회화에 대한 설명이다. 옳은 것은?

① 스포츠로의 재사회화는 스포츠현장을 떠나 일반 사회로 다시 복귀하는 과정이다.
② 스포츠로의 사회화는 탈퇴했던 스포츠활동에 다시 참여하는 과정이다.
③ 스포츠를 통한 사회화는 스포츠활동에 참여하여 가치, 태도 등을 학습하고 역할을 수행하는 과정이다.
④ 스포츠로부터의 탈사회화는 스포츠활동에 참여하기 위해서 자신의 역할을 변화시키는 과정이다.

■ 스포츠를 통한 사회화(p. 66) 참조

필수문제

08 다음 중 갈등론적 관점에서 사회화를 보는 것은?

① 사회화를 통해서 사회가 유지된다.
② 사회화 때문에 불평등 구조가 유지된다.
③ 개인은 다른 사람과의 상호작용에 의해서 사회화된다.
④ 개인의 생각과 행동이 변화되어 가는 과정이 사회화이다.

■ 사회화 때문에 불평등 구조가 유지되고, 사회화를 통해서 지배와 피지배의 관계가 정당화된다는 것이 갈등론적 관점이다.

심화문제

09 스포츠사회화의 주관자에 대한 설명이다. 옳지 않은 것은?

① 중요타자 또는 준거집단이라고도 한다.
② 가족, 또래집단, 학교, 지역사회 등이 있다.
③ 대중매체는 스포츠사회화의 주관자가 될 수 없다.
④ 주로 스포츠활동에 참여하도록 유도하거나, 계속해서 참여하도록 격려하는 역할을 한다.

■ 대중매체는 모든 연령층에 영향을 미치고, 사회화주관자로서의 역할이 점차적으로 강화되고 있다.

정답 06 : ②, 07 : ③, 08 : ②, 09 : ③

■ 태어나서 가장 먼저 대하는 사람은 가족이다.

필수문제

10 스포츠사회화 주관자의 하나로서 스포츠와 여가활동의 역할사회화가 최초로 이루어지는 준거집단은?

① 학교 ② 또래집단 ③ 가족 ④ 매스미디어

심화문제

■ 청소년기에는 부모나 선생님 말씀보다 친구의 말을 더 중요하게 생각한다.

11 청소년기에 가장 영향력이 큰 사회화주관자는?

① 가족 ② 지역사회
③ 대중매체 ④ 또래집단

12 보기의 내용에 해당하는 스포츠사회화의 주관자는?

> 보기
> 박태환 선수의 올림픽 금메달 획득 장면이 언론에 집중적으로 보도되자 국내 수영장에는 많은 어린이들의 수영강습 신청에 대한 문의가 증가했다.

■ 언론 보도는 대중매체

① 지역사회 ② 또래친구 ③ 대중매체 ④ 학교

13 스포츠를 통한 사회화의 전이를 설명한 것이다. 틀린 것은?

■ 스포츠를 통한 사회화의 전이(p. 67 참조)

① 사회화주관자의 위력이 클수록 전이효과가 크게 나타난다.
② 스포츠활동에 참가한 빈도, 강도, 기간에 따라 전이 효과가 다르다.
③ 비자발적 참가자보다 자발적 참가자의 전이효과가 크게 나타난다.
④ 사회화주관자와 피주관자의 사회적 관계는 전이효과와 관련이 없다.

14 스포츠사회화의 주관자가 아닌 사람은?

① 가족 ② 친구
③ 지역사회 ④ 관중

15 보기는 누구(무엇)에 대한 설명인가?

> 보기
> » 개인이 성장함에 따라서 영향이 커지는 사회화주관자이다.
> » 가정에서 경험하지 못하는 평등한 관계에 기초한다.
> » 독립심과 리더십을 발휘할 수 있는 기회를 제공한다.

① 또래집단 ② 학교 ③ 지역사회 ④ 대중매체

정답 10 : ③, 11 : ④, 12 : ③, 13 : ④, 14 : ④, 15 : ①

필수문제

16 보기에서 스나이더(E. Snyder)가 제시한 스포츠사회화의 전이 조건을 모두 고른 것은?

보기
㉠ 스포츠 참가 정도　　㉡ 스포츠 참가의 자발성 여부
㉢ 스포츠 참가자의 개인적 · 사회적 특성　　㉣ 사회화 주관자의 위신 및 위력

① ㉠　② ㉠, ㉡　③ ㉠, ㉡, ㉢　④ ㉠, ㉡, ㉢, ㉣

필수문제

17 보기에서 설명하고 있는 레오나르드(W.Leonard Ⅱ)의 스포츠사회화 이론은?

보기
» A고교 농구 감독은 팀 훈련 과정에서 학생선수들의 운동 수행 능력을 향상시키기 위하여 상과 벌을 활용한다.
» B선수는 다른 팀 선수가 독특한 타격 자세로 최다 안타상을 획득하자 그 선수의 타격자세를 관찰하여 자신만의 것으로 발전시켰다.

① 사회학습이론　② 역할이론　③ 준거집단이론　④ 근거이론

심화문제

18 보기에서 설명하는 스포츠사회화 이론은?

보기
» 상과 벌을 통해 행동의 변화가 일어난다.
» 사회화 주관자의 가르침을 통해 행동이 변화한다.
» 다른 사람의 행동을 관찰하여 모방이 일어난다.

① 사회학습이론　② 역할이론　③ 준거집단이론　④ 문화규범이론

19 보기에서 설명하는 사회학습 이론의 구성요소는?

보기
상과 벌은 행동의 학습과 수행에 긍정적 · 부정적 영향을 미친다. 스포츠 현장에서 스포츠에 내재된 가치, 태도, 규범에 그릇된 행위는 벌을 통해 중단되거나 회피된다.

① 강화　② 코칭　③ 관찰학습　④ 역할학습

정답　16 : ④, 17 : ①, 18 : ①, 19 : ①

■ **스포츠 사회화(스포츠를 통한 사회화)의 전이 조건**
· 사회화 주관자의 위력과 위신
· 스포츠활동 참가빈도 · 강도 · 기간
· 스포츠활동의 자발적 참가
· 스포츠활동을 통한 인간관계 형성
· 참가자의 개인적 · 사회적 특성

■ **사회학습이론** : 사회적 행동을 습득하고 수행하는 과정을 밝히는 이론. 스포츠 역할 학습 접근 방법은 강화, 코칭, 관찰 학습으로 구성된다. 상과 벌을 주는 것도 사회학습이론이다.
■ **역할이론** : 사회구조 속에서 사회적 지위 유지를 위한 역할 기대 또는 행동양식을 획득하는 과정에 관한 이론.
■ **준거집단이론** : 특정 집단이나 타인의 행동, 태도, 감정 등을 자신의 판단 기준이 되는 준거척도로 삼는 이론.
■ **근거이론** : 스포츠사회화 이론이 아님.

■ **사회학습 이론의 구성요소**
① **강화** : 벌에 의한 부정적 강화는 행동을 억제시키고, 상에 의한 긍정적 강화는 행동을 지속시킨다(보기에 해당됨).
② **코칭** : 사회화의 주관자를 통해 가르침을 받는다.
③ **관찰학습** : 타인의 행동을 관찰하여 역할 수행 시에 반영한다.

20 스포츠사회화 이론에 대한 설명으로 옳은 것은?

① 사회학습이론은 비판이론의 관점을 바탕으로 개인의 복잡한 사회학습과정을 설명한다.
② 사회학습이론에서는 스포츠 역할의 학습을 이해하기 위해 강화, 코칭, 보상의 개념을 활용한다.
③ 역할이론은 사회를 갈등대립의 장으로 보고, 개인은 그 속에서 타인과 상호작용을 통해 갈등해결의 역할을 배워간다고 가정한다.
④ 준거집단이론에서 준거집단은 규범집단, 비교집단,청중집단 등으로 구성된다.

필수문제

21 보기에서 설명하는 캐년(G. Kenyon)의 스포츠 참가(참여)의 유형은?

> 보기
> 실제 스포츠에 참가하지는 않지만 간접적으로 특정 선수나 팀 또는 경기 상황에 대해 감정적인 태도나 성향을 표출하는 참가

① 행동적 참가 ② 인지적 참가 ③ 일탈적 참가 ④ 정의적 참가

심화문제

22 케년(G. Kenyon)과 슈츠(Z. Schutz)가 구분한 스포츠 참가 유형에 대한 설명으로 옳지 않은 것은?

① 일상적 참가 : 스포츠 참가가 일상의 주된 활동이 되어 스포츠 활동에 대부분의 시간을 소비함
② 주기적 참가 : 일정 간격을 유지하면서 스포츠에 지속적으로 참가함
③ 일차적 일탈 참가 : 자신의 직업을 등한시하고 대부분의 시간을 스포츠 참가에 할애함
④ 이차적 일탈 참가 : 경기결과에 거액의 돈을 걸고 스포츠를 관람함

23 스포츠활동에 참가한 결과로 형성되는 가치, 태도, 행동과 관련된 것들을 스포츠를 통한 사회화라고 한다. 다음 중 스포츠를 통한 사회화에서 다루는 내용과 거리가 먼 것은?

① 스포츠활동에 참가해서 습득할 수 있는 다양한 가치
② 스포츠활동에 참가하는 다른 구성원들로부터 받는 자극에 의해서 형성되는 태도
③ 스포츠를 통한 사회화의 전이
④ 스포츠활동에 참가해서 얻을 수 있는 다양한 체력증진 효과

정답 20 : ④, 21 : ④, 22 : ①, 23 : ④

■ ① **사회학습이론** : 개인이 사회적 행동을 어떻게 습득하고 수행하는가를 밝히는 이론.
■ ② 이 이론에서는 스포츠 역할의 학습을 이해하기 위해 강화 · 코칭 · 관찰학습의 개념을 활용함.
■ ③ **역할이론** : 사회구조 속에서 사회적 지위를 유지하기 위한 역할기대 또는 협동양식 획득과정에 관한 이론.

■ **스포츠참가의 유형**(스포츠를 통한 사회화에서 본)
· **행동적 참가** : 스포츠에 실제로 참가하는 것(일차적 참가와 이차적 참가가 있다)
· **인지적 참가** : 스포츠에 관련된 정보를 학교 · 사회기관 · 미디어 · 대회 등의 수용과정을 통한 참가.
· **일탈적 참가** : 일차적 일탈 참가(직업활동을 팽개치고 대부분의 시간을 스포츠 활동에 쓰는 것)와 이차적 참가(경기 결과에 돈을 걸고 관람하는 것)가 있다.
· **정의적 참가** : 개인적인 느낌으로 특정 선수나 팀에 간접적으로 참가하는 것

■ 스포츠 활동이 주된 활동이 아니라 취미 또는 건강을 위해 스포츠 활동을 하는 것이 일상적 참가이다.

■ 체력증진과 사회화는 관련이 없다. ①, ②, ③ 외에 스포츠활동에 참가해서 얻을 수 있는 '다양한 역할경험'이 포함되어야 한다.

필수문제

24 보기의 ㉠~㉢에 해당하는 스포츠사회화 과정이 바르게 연결된 것은?

보기
(㉠) : 테니스 지도자가 되어 초등학교에서 테니스를 가르치게 되었다.
(㉡) : 부모님의 권유로 테니스를 배우게 되었다.
(㉢) : 테니스참여를 통해 사회성, 준법정신이 강한 선수가 되었다.
스포츠 탈 사회화 : 무릎인대 손상으로 테니스선수생활을 그만두었다.

	㉠	㉡	㉢
①	스포츠 재사회화	스포츠를 통한 사회화	스포츠로의 사회화
②	스포츠로의 사회화	스포츠 재사회화	스포츠를 통한 사회화
③	스포츠를 통한 사회화	스포츠로의 사회화	스포츠 재사회화
④	스포츠 재사회화	스포츠로의 사회화	스포츠를 통한 사회화

심화문제

25 보기의 ㉠~㉢에 해당하는 스포츠사회화 과정이 바르게 연결된 것은?

보기
» (㉠): 손목수술 후유증으로 인해 골프선수를 그만두게 되었다.
» (㉡):골프의 매력에 빠져 골프선수가 되어 사회성, 체력,준법정신이 함양되었다.
» (㉢): 아빠와 함께 골프연습장에 자주 가면서 골프를 배우게 되었다.
» (㉣): 골프선수 은퇴 후 골프아카데미 원장으로 부임하면서 골프꿈나무를 양성하게 되었다.

	㉠	㉡	㉢	㉣
①	스포츠로의 재사회화	스포츠를 통한 사회화	스포츠로의 사회화	스포츠 탈사회화
②	스포츠로의 재사회화	스포츠로의 사회화	스포츠를 통한 사회화	스포츠 탈사회화
③	스포츠 탈사회화	스포츠를 통한 사회화	스포츠로의 사회화	스포츠로의 재사회화
④	스포츠 탈사회화	스포츠로의 사회화	스포츠를 통한 사회화	스포츠로의 재사회화

26 보기에 나열되어 있는 스포츠사회화의 과정을 순서대로 정리한 것은?

보기
A. 스포츠로의 사회화
B. 스포츠를 통한 사회화
C. 스포츠로부터의 탈사회화
D. 스포츠로의 재사회화

① A-B-C-D ② A-C-B-D ③ B-A-D-C ④ B-D-A-C

정답 24 : ④, 25 : ③, 26 : ①

■**스포츠로의 재사회화**(스포츠 재사회화) : 조직화된 경쟁 스포츠에 참여했던 사람이 어떤 이유로 스포츠활동을 중지하고 있다가(스포츠로부터의 탈사회화) 새로운 동기로 스포츠에 참가하게 되는 것
■**스포츠로의 사회화** : 특정인에게 스포츠 참여에 관한 재미와 흥미를 유발시킴으로써 스포츠 참가를 유도하는 것
■**스포츠를 통한 사회화** : 스포츠에 지속적으로 참가한 결과 얻어지는 다양한 효과
■**스포츠로부터의 탈사회화**(스포츠 탈사회화) : 어떤 원인(부상, 흥미상실, 타인과의 갈등 등)으로 스포츠참여를 중단하는 것.

■㉠ 골프선수를 그만두게 된 것 : 스포츠 탈사회화
■㉡ 골프선수가 되어 사회성 · 체력 · 준법정신 함양 : 스포츠를 통한 사회화
■㉢ 아빠와 함께 골프를 배움 : 스포츠로의 사회화
■㉣ 골프 꿈나무 양성: 스포츠로의 재사회화

■스포츠를 하기 시작하는 것이 스포츠로의 사회화이고, 스포츠를 하다가 그만두는 것이 스포츠로부터의 탈사회화이다.
■스포츠사회화의 과정은 A-B-C-D순이다.

■② **공정강조 가치** : 자발적인 내적동기에 의한 스포츠참가를 강조하는 가치체계이다.
■③ **업적지향 가치** : 탁월성을 내보이고 승리를 쟁취하려는 성취경향이 강한 가치체계이다.
■④ **승리강조 가치** : 경쟁에서 승리를 중시하고 패배를 낙오로 인식하는 가치체계이다.

필수문제

27 스포츠를 통한 사회화 중에서 가치형성에 관한 설명이다. 옳은 것은?

① 참가지향 가치는 스포츠참가를 통한 자기실현과 자기만족을 추구하는 가치체계이다.
② 공정강조 가치는 경쟁의 과정보다 경쟁의 결과를 중시하는 가치체계이다.
③ 업적지향 가치는 스포츠참가를 통한 사회적 상호작용을 추구하는 가치체계이다.
④ 승리강조 가치는 자발적인 내적동기에 의한 스포츠참가를 강조하는 가치체계이다.

심화문제

28 다음 중 스포츠 장면에서 학습된 기능, 특성, 가치, 태도, 지식 및 성향 등이 다른 사회현상으로 전이 또는 일반화되는 과정을 뜻하는 것은?

① 스포츠로의 사회화
② 스포츠로의 재사회화
③ 스포츠에서의 탈사회화
④ 스포츠를 통한 사회화

29 다음은 스포츠를 통한 사회화에서 주장하는 "다양한 사회적 가치를 습득할 수 있다."는 내용을 설명한 것이다. 틀린 것은?

① 스포츠는 사회 전체를 지배하고 있는 가치를 전달하는 역할도 수행한다.
② 스포츠와 일반사회는 구조와 조직이 아주 유사하기 때문에 자신에게 적합한 역할을 스포츠를 통해서 경험할 수 있다.
③ 현대사회가 아주 빨리 변하는 데에 비하여 스포츠는 체제유지적인 기능이 있으므로 사회적 가치가 빠르게 변하는 것을 억제한다.
④ 스포츠가 현대 사회의 일반적인 규범, 가치, 태도 등을 사회 구성원들이 쉽게 이해할 수 있도록 전달하는 역할을 한다.

■사회적 가치의 변화를 억제하는 것은 사회화가 아니다.

30 보기에서 설명하는 스포츠사회화 과정은?

보기
» 이용대 선수의 경기 보도 증가는 대중들의 배드민턴 참여를 촉진한다.
» 부모의 스포츠에 대한 긍정적인 태도는 자녀의 스포츠 참여 가능성을 높인다.
» 학생들은 교내에서 체육교과와 다양한 프로그램을 통해 스포츠에 참여하고 있다.

① 스포츠로의 재사회화
② 스포츠로부터의 탈사회화
③ 스포츠를 통한 사회화
④ 스포츠로의 사회화

■스포츠로의 사회화는 개인에게 스포츠참여에 대한 관심과 흥미를 유발시켜 스포츠참여를 유도하는 것이다.

정답 27 : ①, 28 : ④, 29 : ③, 30 : ④

필수문제

31 스포츠를 통한 사회화의 전이와 관련된 내용이다. 잘못된 것은?

① 스포츠활동에 참여하여 형성된 가치관, 도덕성, 공정성, 적응력 등이 일반 사회생활에 전이되어 성공적인 시민 육성에 기여한다.
② 스포츠사회화의 전이는 모든 사람에게 일괄적으로 공통되게 발생한다.
③ 스포츠사회화의 전이는 환경이 유사할 때에 잘 발생한다.
④ 스포츠사회화의 전이는 참여 정도, 참가의 자발성 수준, 조직 내의 사회적 관계 등에 따라서 각기 다르게 나타난다.

■ 스포츠사회화의 전이는 개인에 따라 선택적으로 다르게 발생한다.

심화문제

32 스포츠로의 사회화(socialization into sport) 요인 중 보기의 설명에 해당하는 것은?

보기
여성의 신체노출을 금기시 하는 일부 중동국가의 문화는 여성의 스포츠 참가를 불가능하게 하며 스포츠 경기 관람조차 허용하지 않고 있다.

① 개인적 특성 ② 사회적 상황 ③ 스포츠 개입 ④ 스포츠 사회화 주관자

■ 개인에게 스포츠에 참여하고자 하는 흥미와 관심을 유발시킴으로써 스포츠에 참가하도록 유도하는 것이 스포츠로의 사회화이다.

33 스포츠참가 자체를 의미하는 스포츠사회화과정의 모형은?

① 스포츠로의 사회화 ② 스포츠를 통한 사회화
③ 스포츠로부터의 탈사회화 ④ 스포츠로의 재사회화

필수문제

34 스포츠탈사회화와 재사회화 과정에 대한 설명으로 옳지 않은 것은?

① 운동선수의 스포츠탈사회화는 선수은퇴를 의미한다.
② 환경, 취업, 정서 등의 요인은 운동선수의 스포츠탈사회화에 영향을 미친다.
③ 운동선수는 스포츠탈사회화 이후 모두 스포츠재사회화의 과정을 겪게 된다.
④ 새로운 직업에 대한 기회가 많고 교육수준이 높은 운동선수일수록 자발적 은퇴를 선택할 가능성이 높다.

■ 스포츠를 그만 둔 다음 스포츠와 전혀 관계없는 일로만 평생을 사는 사람도 많다.

심화문제

35 스포츠로부터의 탈사회화에 대한 설명이다. 잘못된 것은?

① 스포츠로부터의 탈사회화는 자발적 은퇴와 강제적 은퇴로 나눈다.
② 스포츠로부터의 탈사회화는 주로 노년층에서 발생한다.
③ 스포츠활동 중에 부상을 당해서 그만 두는 것은 강제적 은퇴에 속한다.
④ 스포츠활동에 참가하던 사람이 어떤 요인에 의하여 스포츠참여를 그만 두는 것이다.

■ 탈사회화는 전 연령대에서 나타난다.

정답 31 : ②, 32 : ②, 33 : ①, 34 : ③, 35 : ②

36 스포츠로부터의 탈사회화에 대한 설명이다. 옳지 않은 것은?

① 청년기에는 군입대, 취업, 이사 때문에 탈사회화가 발생한다.
② 자의나 타의에 의해서 스포츠참가를 중단하는 것이 탈사회화이다.
③ 운동선수들의 탈사회화는 거의 다 계획적으로 준비된 것이다.
④ 청소년기에는 학교 공부 때문에 탈사회화가 발생한다.

필수문제

37 보기는 스포츠로의 재사회화에 영향을 미치는 5가지 변인을 설명한 것이다. 틀린 것은?

보기
㉠ 환경 변인-도시, 농촌, 산촌 등
㉡ 취업 변인-스포츠 이외의 직업에 취업할 수 있는 기회
㉢ 정서 변인-스포츠가 자신의 자아정체에서 차지하는 정도
㉣ 역할사회화 변인-스포츠 이외의 역할에 대한 사회화 정도
㉤ 인간관계 변인-스포츠를 통한 사회화에 대한 주변 사람들의 만족도

① ㉠ ② ㉤ ③ ㉢ ④ ㉣

■ 환경변인은 성, 연령, 교육정도, 계층 등이다.

심화문제

38 스포츠재사회화에 대한 설명으로 바른 것은?

① 친구들과 처음 스키캠프에 참가
② 선수생활 중단 5년 후 스포츠클럽 지도자로 활동
③ 경기 중 부상으로 운동선수생활 은퇴
④ 건강을 위해 처음 수영강습에 참가

39 보기의 ㉠과 ㉡에서 설명하는 사회화 과정은?

보기
㉠ 중학생 고영주는 학교스포츠클럽에 참가하면서 교우관계가 원만해졌다.
㉡ 프로야구 강동훈 선수는 부상으로 은퇴한 후, 해설가로 활동하면서 사회인 야구의 감독을 맡고 있다.

① ㉠ 스포츠로의 사회화 ㉡ 스포츠를 통한 사회화
② ㉠ 스포츠를 통한 사회화 ㉡ 스포츠로의 재사회화
③ ㉠ 스포츠로의 재사회화 ㉡ 스포츠로부터의 탈사회화
④ ㉠ 스포츠로부터의 탈사회화 ㉡ 스포츠로의 사회화

■ 그만두었다가 다시 하게 되는 것이 재사회화이다.

정답 36 : ③, 37 : ①, 38 : ②, 39 : ②

08 Chapter 스포츠와 사회적 일탈

일탈의 개념

☞ 사회가 일반적으로 기대하는 규범으로부터 벗어난 행동을 사회적 일탈이라고 한다.
☞ 스포츠체계에서 규정한 규범으로부터 벗어난 행동을 스포츠일탈이라고 한다.
☞ 일탈은 시간적 · 공간적 · 사회적 조건에 관계없이 항상 존재하는 보편적인 현상이다.

1 스포츠일탈의 특성(문제점)

☞ 사회적 규범은 변하지 않는 절대적인 기준이 있고 그 기준을 벗어나는 것이 일탈이라고 보는 것이 절대론적 접근이다.
☞ 어떤 상황이 일어난 환경에 따라 용인될 수 있는 행위의 범위가 다르고 그 범위를 벗어나는 것이 일탈이라고 보는 것이 상대론적 접근이다.
☞ 스포츠일탈은 절대론적으로 접근하느냐 상대론적으로 접근하느냐에 따라서 원인이 다양하기 때문에 하나의 이론으로 설명할 수 없다.
☞ 일반적인 일탈과 스포츠일탈은 용인되는 범위가 다를 때가 많다.
☞ 과소동조뿐만 아니라 과잉동조도 스포츠일탈이다.
☞ 스포츠일탈 행동을 파악하고 평가하는 데에는 시간이 걸린다.

2 스포츠일탈의 원인

☞ 학생과 선수라는 두 가지 역할 사이의 갈등 때문에
☞ 승리하고 싶은 강박관념 때문에
☞ 승리추구와 페어플레이는 양립할 수 없는 가치이기 때문에
☞ 승리한 선수에게만 보상을 많이 주는 경쟁적 보상구조 때문에

과잉동조

운동선수들이 훈련 또는 경기와 관련된 규범에 무조건적으로 따르는 것으로 스포츠일탈의 원인 중 하나이다. 과잉동조를 불러일으키는 스포츠 윤리규범들은 다음과 같다.

☞ 경기에 모든 것을 집중하고 헌신할 것을 요구한다.
☞ 탁월성을 요구하기 때문에 운동선수들은 특별한 집단이라고 생각하게 된다.
☞ 경쟁하는 과정에서 생기는 위험이나 고통을 자연스러운 것으로 받아들일 것을 강요한다.
☞ 성공을 추구하는 도중에 어떠한 장애물에 부딪치든지 모두 극복하기를 바란다.

1 엘리트스포츠 조직에서 과잉동조를 정상적인 행위로 받아들이는 이유

☞ 과잉동조가 스포츠 집단의 특별한 연대감 형성에 기여하기 때문에

☞ 과잉동조는 스포츠 집단의 문화를 특수한 것으로 여기고, 그 문화 안에서 자신의 정체성을 강화하기 때문에

☞ 엘리트선수는 집단에서 인정받고, 존경받으며, 운동선수로서의 정체성을 유지하는 것을 아주 중요하게 받아들이기 때문에

2 스포츠일탈의 순기능과 역기능

순기능	» 스포츠일탈은 창의성을 발휘할 수 있는 창구가 될 수도 있다. » 부분적인 일탈은 사회적 불만을 완화하는 안전판의 역할도 한다. » 규범이 존재한다는 사실을 인식시켜주기 때문에 규범에 순응하고 일탈행위를 방지한다.
역기능	» 스포츠가 추구하는 공정성 및 질서체계를 훼손한다. » 사회에 부정적인 영향을 미친다.

3 아노미(anomie)이론(R. Merton)

☞ 스포츠일탈이 발생하는 원인과 과정을 설명해주는 이론이다.

☞ 지배적인 규범이나 가치가 없어서 혼란에 빠진 상태를 아노미 상태라고 한다.

☞ 아노미 상태에서는 사람들이 무기력해지고, 소외감을 느끼며, 법과 질서를 무시한 채 자신의 이익만을 추구하는 경향을 보인다.

☞ 스포츠일탈에서는 목표와 수단(승리추구와 공정경쟁)의 불일치 때문에 생기는 갈등을 아노미라고 한다.

아노미 이론에서 목표와 수단(승리추구와 공정경쟁)의 불일치 때문에 생기는 갈등을 해소하기 위해서 선수들이 하는 일탈행동의 5가지 유형

동조주의	개인의 생각이나 행동을 집단이 기대한 대로 바꾸는 것이다. 시간끌기와 반칙작전 등이 있고, 일탈행동은 아니지만 비윤리적인 행위로 비판받을 수도 있다.
혁신주의	불법적인 수단과 방법을 동원해서라도 승리하려는 것이다. 대표적인 일탈행동이다.
의례주의	승리추구에는 집착하지 않고 참여에 의의를 두고 최선을 다하지 않는 것이다. 일탈행동은 아니지만 바람직한 행동도 아니다.
도피주의	승리추구와 공정경쟁을 모두 거부하는 것을 도피주의라 하고, 스포츠 참가를 중단하거나 포기한다.
반역(반란) 주의	승리추구와 공정경쟁의 수용이나 거부와는 관계없이 자신만의 수단이나 방법을 동원하여 새로운 목표를 달성하려고 하는 것. 반역은 일탈행동일 수도 있고 사회변혁일 수도 있다.

스포츠에서 일어나는 폭력행위의 구분

난폭한 신체접촉	경기규칙 내에서 이루어지는 심한 신체접촉이고, 일탈행동이 아니다.
경계폭력	농구에서 자리싸움을 하면서 팔꿈치를 쓰는 행동처럼 경기규칙에 위배되고 부상의 위험도 있지만 일반적으로 선수나 관중들이 용인하는 행동으로, 일탈행동이 아니다.
유사범죄폭력	경기규칙에 위배되는 것은 물론이고 형법에 저촉될 가능성이 있는 행동으로, 일탈행동이다.
범죄폭력	형사처벌까지 받을 수 있는 행동으로, 일탈행동이다.

1 약물복용의 개념

운동 수행능력을 향상시켜 좋은 성적을 거둘 목적으로 심장흥분제나 근육강화제와 같은 화학적 합성물질 또는 천연물질을 복용 또는 주사하여 일시적으로 경기력을 향상시키는 것을 말한다.

2 부정행위

경기규칙이나 규정을 어기거나 스포츠의 가치를 위협하는 행위로 다음과 같은 경우에 많이 발생한다.

☞ 승리에 대한 보상이 크다고 생각되는 경우.
☞ 공학기술이 경기결과에 미치는 영향이 크다고 생각되는 경우.
☞ 경기규칙이 지나치게 엄격한 경우.
☞ 경기결과가 불확실하다고 생각되는 경우.
☞ 사회경제적 지위가 낮은 선수가 많이 참가한 경우.

3 부정행위의 종류

제도적 부정행위	전략적 차원에서 용인되고 조장되는 속임수. 농구에서 팔꿈치 사용, 축구에서 태클 등
일탈적 부정행위	사회에서 용인되지 않는 부정행위. 불법 용구 사용, 약물투여 등

4 범죄행위

☞ 법률로 금지된 행위를 하는 것으로 폭행, 상해, 절도, 강간 등이 있다.
☞ 범죄행위는 경기장 안팎에서 일어날 수 있다.
☞ 좌절감, 욕구불만, 공격성 등과 같은 감정을 표출함으로써 내부에 축적된 감정을 정화시킬 수 있으므로 스포츠에 참여하면 범죄행위를 줄일 수 있다고 주장하는 것이 정화이론이다.
☞ 범죄행동은 후천적으로 사회에서 학습된 것이므로, 스포츠에 참여하면 범죄행동을 학습한다고 주장하는 것이 사회학습이론이다.

5 과도한 참가

- ☞ 자신의 일상생활에 지장을 줄 정도로 스포츠에 적극적으로 참여하는 것을 과도한 참가라 하고, 일탈적 행동으로 규정한다.
- ☞ 스포츠에서 적용되는 규범과 사회에서 적용되는 규범이 다르기 때문에 스포츠 일탈은 스포츠 규범을 바탕으로 취급해야 한다. 그래서 과도한 참가가 규칙을 위반하지 않았지만 스포츠 일탈로 규정된다.
- ☞ 과도한 참가는 과잉동조의 한 유형이고, 규칙을 위반하지 않기 때문에 긍정적 일탈이라고도 한다.

과소동조는 구성원들로부터 비난을 받지만, 과잉동조는 칭찬이나 존경을 받기 때문에 사회적 문제를 야기할 가능성이 크다.

관중폭력

- ☞ 여러 사람이 모이면 개인의 개성과 판단력이 없어지고, 내적 억제력이 약화되는 군중효과 때문에 관중폭력이 발생한다.
- ☞ 선수의 적대적인 반칙과 공격적인 행동이 관중폭력을 유발한다.
- ☞ 패배한 팀을 응원하던 관중의 좌절감과 분노가 폭력행동을 유발한다.
- ☞ 어웨이경기보다 홈경기에서 관중폭력이 발생한 가능성이 크다.

1 관중폭력과 같은 집단행동의 발생을 설명하는 이론들

전염 이론	병이 전염되듯이 군중 속의 한 사람 또는 몇몇 사람의 영향을 받아서 관중폭력이 발생한다.
수렴 이론	개인들이 평소에 가지고 있던 반사회적 생각이 하나로 모여 군중이라는 익명성을 방패삼아 표출된 것이 관중폭력이다.
규범생성 이론	동질성이 거의 없던 개인들이 큰 집단으로 발전하는 과정에 핵심적인 구성원이 적절한 행동을 암시하고, 나머지 구성원이 그에 동조해서 새로운 규범이 만들어져 집단행동이 발생한다.
부가가치 이론 (사회변형 이론)	집단행동이 일어나기 위해서는 어떤 요인이나 조건들이 순차적으로 조합을 이루어야 한다.

2 관중폭력이 일어날 수 있는 주요 요인

- ☞ 관중의 규모가 크다.
- ☞ 관중의 밀도가 높다.
- ☞ 서 있는 관중이 많다.
- ☞ 매우 중요한 경기이다.
- ☞ 경기 당시의 역사적, 사회적, 경제적, 정치적 배경.
- ☞ 경기 자체가 폭력적이었다.

필수 및 심화 문제

필수문제

01 스포츠 일탈에 대한 설명으로 옳은 것은?

① 절대론적 접근에 따르면 스포츠 일탈은 승리추구라는 보편적 윤리 가치체계의 준수 유무에 따라 결정된다.
② 상대론적 접근에 따르면 스포츠 일탈은 개인의 윤리적 문제가 아닌 사회구조적인 문제이다.
③ 스포츠 일탈에 대한 절대론적 접근은 과잉동조 개념을 설명하는 데 매우 유용하다.
④ 스포츠 일탈에 대한 상대론적 접근은 창의성과 변화를 약화시킨다는 비판을 받는다.

▪ 일탈이냐 아니냐를 결정짓는 절대적인 규준이 있다는 것이 절대론적 접근이고, 규준이 변할 수도 있다는 것이 상대론적 접근이다.

심화문제

02 스포츠 일탈의 유형과 원인을 규정하기 어려운 이유로 적절하지 않은 것은?

① 스포츠 현장에서 발생하는 일탈 사례가 부족하기 때문이다.
② 스포츠 일탈은 규범에 대한 거부와 함께 무비판적 수용도 포함한다.
③ 스포츠에서 허용되는 행동이 사회의 다른 영역에서는 일탈이 될 수 있다.
④ 과학기술의 급속한 발전과 새로운 스포츠 규범 사이에 시간적 차이가 발생한다.

▪ 스포츠현장에서 발생하는 일탈의 사례가 부족한 것은 스포츠일탈의 원인과 유형이 될 수 없다.

03 스포츠일탈의 원인으로 보기 어려운 것은?

① 운동선수의 폭력성 때문에
② 학생과 선수라는 2가지 역할 사이의 갈등 때문에
③ 승리하고 싶은 강박관념 때문에
④ 승리추구와 페어플레이는 양립할 수 없는 가치이기 때문에

▪ 폭력성은 일반인에게도 있다. 이외에 승리한 선수에게만 보상을 많이 주는 '경쟁적 보상구조'도 스포츠일탈의 중요한 원인이다.

04 스포츠일탈의 문제점들을 설명한 것이다. 옳지 못한 것은?

① 스포츠일탈은 유형과 원인이 다양하기 때문에 하나의 이론으로 설명할 수 없다.
② 일반적인 일탈과 스포츠일탈은 거의 같다.
③ 과소동조뿐만 아니라 과잉동조도 스포츠일탈이다.
④ 스포츠일탈 행동을 파악하고 평가하는 데에는 시간이 걸린다.

▪ 일반적인 일탈과 스포츠일탈은 용인되는 범위가 다를 때가 많다.

정답 01 : ②, 02 : ①, 03 : ①, 04 : ②

▪갈등이론 : 스포츠집단 내에서 발생하는 갈등에 초점을 맞추고 있으며, 권력 · 부 · 특권 등이 공평하게 분배되지 않아 발생하는 것으로 본다.
▪차별교제 이론 : 모든 범죄나 비행은 타인과의 상호작용에 의해 학습된 것으로 본다. 일탈 집단과 접촉하여 그들의 행동과 문화를 학습함으로써 일탈행동이 나타난다는 것이다.
▪아노미이론 : 목표와 수단의 불일치 때문에 생기는 갈등을 해소하기 위한 선수들의 일탈행동을 말한다.
▪낙인이론 : 사회적 요인에 따라 한 번 일탈자로 낙인이 찍히면 계속해서 일탈행동을 하게 된다는 것이다.

필수문제

05 스포츠 일탈을 설명하는 이론과 그 특징이 바르게 연결된 것은?

① 갈등이론–선수의 금지약물복용 등과 같은 일탈적 행위는 개인의 윤리적 문제이다.
② 차별교제이론 – 팀 내 우수선수가 금지약물을 복용해도 동료들은 복용하지 않는다.
③ 아노미이론– 선수의 승리에 대한 목표와 수단의 괴리로 인해 일탈이 발생한다.
④ 낙인이론 – 선수에게 부여된 악동, 풍운아 같은 이미지는 선수 생활에 영향을 미치지 않는다.

▪아노미 이론에서는 목표와 수단(목표추구와 공정경쟁)의 불일치 때문에 생기는 갈등을 해소하기 위한 선수들의 일탈행동을 5가지 유형(**동조주의, 핵심주의, 의례주의, 도피주의, 반역주의**)으로 분류함.→ p. 78 참조

심화문제

06 보기의 설명은 머튼(R. Merton)의 아노미(anomie) 이론에 대한 것이다. ㉠~㉢에 해당하는 적응유형이 바르게 연결된 것은?

> 보기
> » 도피주의–스포츠에 내재된 비인간성, 승리지상주의, 상업주의, 학업 결손 등에 염증을 느껴 스포츠 참가 포기
> » (㉠)–승패에 집착하지 않고 참가에 의의를 두는 것, 결과보다는 경기 내용 중시
> » (㉡)–불법 스카우트, 금지 약물 복용, 경기장 폭력, 승부조작 등
> » (㉢)–전략적 시간 끌기 작전, 경기규칙이 허용하는 범위 내에서의 파울 행위 등

	㉠	㉡	㉢
①	혁신주의	동조주의	의례주의
②	의례주의	혁신주의	동조주의
③	의례주의	동조주의	혁신주의
④	혁신주의	의례주의	동조주의

▪구조기능이론 : 사회가 잘 유지 · 통합되고, 사회구성원은 적절한 가치와 행동에 합의하며, 사회구조 혹은 지속적 행동유형은 사회의 가치나 목적을 실현하도록 작용한다고 가정하는 이론이다.

심화문제

07 보기에서 설명하는 스포츠일탈에 관한 스포츠사회학 이론은?

> 보기
> 일탈은 현존하는 사회질서의 유지에 기여한다는 점에서 정상적인 것으로 간주된다. 예를 들어, 도핑은 그 자체로는 일탈행위에 해당되지만, 이를 통해 사람들은 그런 행동을 경멸하게 되고 이에 대한 경각심을 갖게 된다.

① 구조기능이론　② 갈등이론　③ 차별교제이론　④ 낙인이론

정답　05 : ③, 06 : ②, 07 : ①

필수문제

08 관중폭력과 같은 집단행동의 발생을 설명하는 이론들이다. 잘못 설명한 것은?

① 전염 이론 : 병이 전염되듯이 군중 속의 한 사람 또는 몇몇 사람의 영향을 받아서 관중폭력이 발생한다.

② 수렴 이론 : 개인들이 평소에 가지고 있던 반사회적 생각이 하나로 모여서(수렴되어서), 군중이라는 익명성을 방패삼아 표출된 것이 관중폭력이다.

③ 규범생성 이론 : 동질성이 거의 없던 개인들이 큰 집단으로 발전하는 과정에 핵심적인 구성원이 적절한 행동을 암시하고, 나머지 구성원이 그에 동조해서 새로운 규범이 만들어져 집단행동이 발생한다.

④ 부가가치 이론(사회변형 이론) : 급격한 사회변동이 일어나면 그 부작용으로 집단행동이 일어난다.

■ 급격한 사회변동의 부작용으로 무조건 집단행동이 나타나는 것은 아니다. 집단행동으로 발전하려면 6가지 조건(관중폭력이 일어날 수 있는 주요 요인, p. 80 참조)을 갖추어야 하고, 그 조건이 갖추어지는 단계에 따라서 유형이 서로 다른 집단행동이 일어난다는 것이 부가가치 이론이다.

심화문제

09 보기의 ㉠~㉣에 해당하는 집합행동 이론이 바르게 연결된 것은?

보기
㉠ 군중은 피암시성, 순환적 반작용에 의해 폭력적 집단행동이 나타난다.
㉡ 군중들의 반사회적 성향이 익명성, 몰개성화에 의해 집합행동으로 나타난다.
㉢ 특정 사회적 상황에서의 공유의식은 구성원의 감정과 정숙 정도, 수용성 등에 영향을 준다.
㉣ 선행적 사회구조적 · 문화적 요인으로 인한 단계적 절차는 집합행동을 생성, 발전 및 소멸시킨다.

	㉠	㉡	㉢	㉣
①	전염이론	수렴이론	규범생성이론	부가가치이론
②	수렴이론	전염이론	부가가치이론	규범생성이론
③	규범생성이론	부가가치이론	수렴이론	전염이론
④	부가가치이론	규범생성이론	전염이론	수렴이론

10 보기의 ㉠이 설명하는 집합행동의 유형과 관련된 이론은?

보기
A : 어제 축구 봤어? 경기 도중 관중 폭력이 발생했잖아.
B : 나도 방송에서 봤는데 관중 폭력의 원인이 인종차별 때문이래.
A : <u>㉠ 인종차별과 같은 사회구조적 · 문화적 선행요건이 없었다면, 두 팀 관중들 간에 폭력은 없었을 거야.</u>

① 전염이론　② 규범생성이론　③ 수렴이론　④ 부가가치이론

■ 집합(집단)행동의 이론에는 전염이론, 수렴이론, 규범생성이론, 부가가치이론(사회변경이론)이 있는데, ㉠은 부가가치이론의 유형이다.

정답 08 : ④, 09 : ①, 10 : ④

11 스포츠일탈에 대한 이론적 접근방법에 대한 설명이다. 옳지 못한 것은?

① 사회적 규범은 변하지 않는 절대적인 기준이고, 그 기준을 벗어나는 것이 일탈이라고 보는 것이 절대론적 접근이다.

② 어떤 상황이 일어난 환경에 따라 용인될 수 있는 행위의 범위가 다르고, 그 범위를 벗어나는 것이 일탈이라고 보는 것이 상대론적 접근이다.

③ 상대론적 접근에서는 인간관계의 상호작용에 의해서 일탈의 범위가 결정된다.

④ 절대론적 접근에서는 같은 행동이라도 경우에 따라 일탈일 수도 있고 아닐 수도 있다.

■ 절대론적 접근에서는 절대적인 기준에 의해서 일탈의 범위가 결정된다.

필수문제

12 보기에서 설명하는 스포츠일탈이론의 관점은?

보기
» 동일한 행위도 상황에 따라 일탈로 규정되거나 그렇지 않을 수 있다.
» 경기장에도 다양한 일탈 행동으로 낙인 찍힌 선수들이 있다.

① 갈등론적 관점 ② 구조기능주의 관점
③ 상징적 상호작용론적 관점 ④ 비판론적 관점

■ **상징적 상호작용론** : 사회를 각 개인의 상호작용 속에서 이루어진 것으로 구성된 유동적인 과정으로 보는 이론.
인간이 사용하는 모든 기호에는 의미가 있고, 인간은 환경을 구성하는 모든 사람에 의미를 부여한다. 인간의 모든 행위는 대상과 의미를 주고받는 것일 뿐이라고 한다. 그런데 이것은 사회·문화 현상을 미시적 관점으로 보기 때문에 개개인의 행위에 영향을 미치고 통제하는 사회·국가 등의 거시적 사회구조의 영향력을 간과하는 측면이 있다.

심화문제

13 보기에서 과잉동조 행위만으로 묶인 것은?

보기
㉠ 자신을 조롱하는 관중에게 야구공을 던져 상해를 입힌 행위
㉡ 자신을 태클한 상대선수에게 보복 태클을 한 행위
㉢ 지도자의 지시에 따라 상대팀 선수에게 부상을 입히기 위해 태클을 거는 행위
㉣ 상대팀 투수가 빈볼을 던지자 벤치에서 뛰어나가 그 투수에게 주먹을 휘두르는 행위

① ㉠, ㉡ ② ㉢, ㉣
③ ㉠, ㉢ ④ ㉡, ㉣

■ 나 자신이 아닌 우리 편을 위해서 어떤 행위를 하는 것이 동조행위이다.

14 스포츠 일탈에 관한 설명으로 적절하지 않은 것은?

① 부정적 일탈 사례로는 금지약물복용, 구타 및 폭력 등이 있다.

② 긍정적 일탈은 정상적으로 받아들여지는 행동에 대한 무비판적 수용을 의미한다.

③ 부정적 일탈은 스포츠 규범체계에 대한 과잉동조 성향을 의미한다.

④ 긍정적 일탈 사례로는 오버 트레이닝(over-training), 운동중독 등이 있다.

■ 스포츠규범체계에 대한 과잉동조는 정상적인 행위로 받아들인다.

정답 11 : ④, 12 : ③, 13 : ②, 14 : ③

15 다음 내용에 해당하는 스포츠일탈의 유형은?

스포츠와 관련된 특정 상황에 처한 다수의 관중이나 선수 또는 일반대중이 공통의 자극에 충동적으로 반응할 때 발생

① 긍정적 일탈 ② 부정행위 ③ 범죄행위 ④ 집단행동

■ 여러 사람이 한꺼번에 하는 행동을 집단행동이라고 한다.

필수문제

16 보기는 코클리(J. Coakley)가 제시한 일탈적 과잉동조를 유발하는 스포츠 윤리규범의 유형과 특징에 관한 설명이다. ㉠~㉢에 들어갈 내용이 바르게 연결된 것은?

보기
(㉠) : 운동선수는 위험을 받아들이고 고통 속에서도 경기에 참여해야 한다.
(㉡) : 운동선수는 장애물을 극복하고 역경을 헤쳐 나가는 노력을 해야 한다.
(㉢) : 운동선수는 경기에 헌신해야 하며 이를 그들의 삶에서 우선순위에 두어야 한다.
구분짓기규범 : 다른선수와의 차별성을 강조하며, 운동선수는 경기에서 탁월함을 추구해야 한다.

	㉠	㉡	㉢
①	몰입규범	도전규범	인내규범
②	몰입규범	인내규범	도전규범
③	인내규범	도전규범	몰입규범
④	인내규범	몰입규범	도전규범

■ **인내규범** : 운동선수는 위험을 받아들이고 고통 속에서도 경기에 임해야 한다.
■ **도전규범** : 운동선수는 스포츠에서 성공하기 위해 장애물을 극복하고 경기에 임해야 한다.
■ **몰입규범** : 운동선수는 경기에 헌신해야 하며, 이것을 그들의 삶에서 우선순위에 두어야 한다.
■ **구분짓기 규범** : 운동선수는 다른 선수들보다 뛰어난 모습을 보이기 위해 노력해야 한다.

심화문제

17 다음 ㉠~㉣에서 코클리(J. Coakley)가 제시한 일탈적 과잉동조를 유발하는 스포츠 윤리규범의 유형과 특징으로 옳은 것만을 모두 고른 것은?

	유형	특징
㉠	구분짓기규범	다른 선수와 구별되기 위해 탁월성을 추구해야 한다.
㉡	인내규범	위험을 받아들이고 고통 속에서도 경기에 참여해야 한다.
㉢	몰입규범	경기에 헌신해야 하며 이를 그들의 삶에서 우선순위에 두어야 한다.
㉣	도전규범	스포츠에서 성공을 위해 장애를 극복하고 역경을헤쳐 나가야 한다.

① ㉠, ㉡ ② ㉡, ㉢ ③ ㉠, ㉢, ㉣ ④ ㉠, ㉡, ㉢, ㉣

정답 15 : ④, 16 : ③, 17 : ④

18 **운동선수들이 훈련 또는 경기와 관련된 규범에 무조건적으로 따르는 것을 '과잉동조'라 하고, 과잉동조가 스포츠일탈의 원인 중 하나이다. 다음은 과잉동조를 불러일으키는 스포츠윤리의 규범들이다. 옳게 설명한 것은?**

① 경쟁하는 과정에서 발생하는 위험이나 고난은 가급적 피해야 한다.
② 성공을 향해 도전하다가 역경과 장애물을 만나면 빨리 포기해야 한다.
③ 경기에 모든 것을 집중하고 경기에 헌신해야 한다.
④ 운동수행능력이 탁월하면 좋지만 능력이 모자라면 별 수 없다.

■ 무조건 이겨야 하고, 무조건 지켜야 하고, 무조건 앞으로 나아가야 한다고 생각하는 것이 과잉동조이다.

19 **스포츠일탈의 순기능 또는 역기능을 잘못 설명한 것은?**

① 스포츠일탈은 창의성을 발휘할 수 있는 창구가 될 수도 있다.
② 부분적인 일탈은 사회적 불만을 완화하는 안전판의 역할도 한다.
③ 스포츠일탈은 규범 자체를 무시하는 행동이기 때문에 아무런 가치도 없다.
④ 스포츠일탈이 부정적인 영향을 미칠 수도 있지만 긍정적인 영향을 미칠 수도 있다.

■ 순기능 :
· 스포츠일탈은 창의성을 발휘할 수 있는 창구가 될 수도 있다.
· 부분적인 일탈은 사회적 불만을 완화하는 안전판의 역할도 한다.
· 규범이 존재한다는 사실을 인식시켜주기 때문에 규범에 순응하고 일탈행위를 방지한다.
■ 역기능 :
· 스포츠가 추구하는 공정성 및 질서체계를 훼손한다.
· 사회에 부정적인 영향을 미친다.

20 **보기에서 스포츠일탈의 역기능을 모두 고른 것은?**

보기
㉠ 스포츠의 공정성 및 질서체계 훼손
㉡ 스포츠참가자의 사회화에 부정적인 영향
㉢ 사회적 안전판의 기능
㉣ 고정관념에서 벗어나는 창의적 기회

① ㉠　　② ㉠, ㉡
③ ㉠, ㉡, ㉢　　④ ㉠, ㉡, ㉢, ㉣

■ ㉢, ㉣은 순기능이다.

21 **스포츠 일탈에 관한 설명으로 옳지 않은 것은?**

① 페어플레이 정신과 스포츠맨십에 위반되는 행동이다.
② 스포츠참가자의 사회화에 부정적인 영향을 미칠 수 있다.
③ 부정적 일탈은 규범지향적이고, 긍정적 일탈은 반규범지향적이다.
④ 시간, 장소, 사회적 상황, 평가하는 사람에 따라 다양하게 평가된다.

■ 규칙을 잘 지키는 성향을 '규범지향적'이라고 한다.

22 **다음 중 일탈행동이 아닌 것이 포함되어 있는 것은?**

① 폭력행위, 과도한 참가　　② 약물복용, 관중폭력
③ 부정행위, 폭력행위　　④ 범죄행위, 탈사회화

■ 탈사회화는 스포츠를 그만두는 것이므로 일탈행동이 아니다. 그러므로 스포츠일탈행동의 유형은 7가지이다.

정답 18 : ③, 19 : ③, 20 : ②, 21 : ③, 22 : ④

23 다음의 내용은 스포츠 일탈의 순기능 중 무엇에 관한 설명인가?

> 1966년 보스턴마라톤대회에서 여성의 신분을 속이고 참가한 로베르타 깁은 600명이 넘는 남자들과 겨루어 135등을 차지하면서 완주하였다.
> 당시 여성의 마라톤 경기는 허용되지 않았기 때문에 매스컴에서도 그녀의 완주를 경이로운 시각으로 다루었으며, 이는 여성마라톤의 시발점이 되었다.

① 스포츠 일탈은 규범의 존재를 재확인시켜준다.
② 일탈행동은 잠재적 공격성과 불만을 잠재우는 사회적 안전판의 역할을 한다.
③ 스포츠일탈은 사회에 개혁과 창의성을 가져다주는 역할을 할 수도 있다.
④ 스포츠일탈은 참가자의 사회화에 긍정적인 영향을 미칠 수도 있다.

■ 스포츠 일탈은 사회개혁이 될 수도 있다.

필수문제

24 다음은 스포츠에서 일어나는 폭력행위를 4가지로 구분한 것이다. 설명이 잘못된 것은?

① 난폭한 신체접촉 : 경기규칙 내에서 이루어지는 심한 신체접촉이고, 일탈행동이 아니다.
② 경계폭력 : 경기규칙에 위배되고 부상의 위험도 있지만 일반적으로 선수나 관중들이 용인하는 행동을 말하고, 일탈행동이다.
③ 유사범죄폭력 : 경기규칙에 위배되는 것은 물론이고 형법에 저촉될 가능성이 있는 행동을 말하고, 일탈행동이다.
④ 범죄폭력 : 형사처벌까지 받을 수 있는 행동이고, 일탈행동이다.

■ 경계폭력은 파울은 되지만, 일탈행동은 아니다. 예 : 농구에서 자리싸움을 하면서 팔꿈치를 쓰는 행동

필수문제

25 크로젯(T. Crosset)의 여성에 대한 남성선수의 폭력과 남성 스포츠문화와의 관련성에 대한 연구내용에 해당하는 것은?

① 지역사회는 남성 선수의 폭력에 대해 경외감을 갖지 못하도록 철저히 처벌한다.
② 여성 선수를 존경의 대상으로 삼고 함께 공동체성을 나누어야 할 대상으로 간주한다.
③ 폭력이 남성다움을 확립하고 여성을 통제하는데 효과적인 전략이라는 믿음이 존재한다.
④ 폭력이 남성의 사회적 유대를 강화하고 자만심에 사로잡히지 않도록 분위기를 조성한다.

■ ①, ②, ④는 남성선수의 여성선수에 대한 폭력을 예방하는 내용이다. 그에 반하여 ③은 남성선수의 폭력을 정당화하는 내용이다.
■ 스포츠는 남성의 전유물이라는 지배구조가 강하게 자리잡고 있다. 이러한 권력구조 속에서 약자 집단에 속한 사람들은 편향된 길들임을 경험할 수밖에 없다. 따라서 소수인 여성은 살아가면서 남성화된 문화에 순치되는 것을 경험하게 된다.

심화문제

26 다음 관중폭력이 일어날 수 있는 사회적 요인 중에서 그 영향이 가장 적은 것은?

① 경기장시설 ② 경기의 전반적인 맥락
③ 경기에 대한 관중의 인식 ④ 관중의 역동성

정답 23 : ③, 24 : ②, 25 : ③, 26 : ①

필수문제

27 보기의 신체적 공격행위 중 도구적 공격행위만으로 묶은 것은?

보기
㉠ 상대의 고통을 목적으로 공격하는 행위
㉡ 농구에서 팔꿈치를 크게 휘두르는 행위
㉢ 승리, 금전, 위광 등 다른 외적 보상이나 목표를 획득하기 위한 행위
㉣ 야구에서 투수가 자신을 화나게 만든 타자에게 안쪽 또는 높은 공을 던지는 행위
㉤ 유격수에게 과감한 슬라이딩을 감행해 더블플레이를 방해하는 행위

① ㉠-㉢-㉣ ② ㉠-㉡-㉤ ③ ㉡-㉢-㉤ ④ ㉡-㉣-㉤

■ **도구적 공격행위** : 상대에게 고통을 줄 목적이 아니라 승리 · 금전 · 공훈 등과 같은 보상 또는 목표 획득을 위한 공격 행위.
■ ㉠과 ㉣은 적대적 공격행위임.

심화문제

28 스포츠에 있어서 제도적 부정행위는?

① 경주마에 약물투여
② 상대편 경기용구의 훼손
③ 담합에 의한 경기성적의 조작
④ 심판에게 반칙 판정을 유도하는 헐리웃 액션(hollywood action)

■ 벌을 받지 않고 그냥 넘어갈 수 있는 부정 행위가 '제도적 부정행위'이다.

29 스포츠 현장에서 발생하는 일탈적 부정행위가 아닌 것은?

① 상대방의 심리적 불안을 초래하는 과도한 야유
② 경기력 향상을 위한 금지약물 복용
③ 상급학교 진학을 위한 승부조작
④ 승리를 위한 심판 매수 및 금품제공

■ ①은 비신사적인 행동이지만 부정행위는 아니다.

30 부정행위가 발생될 가능성이 가장 낮은 경우는?

① 승리에 대한 보상이 크다고 생각되는 경우
② 공학기술이 경기결과에 미치는 영향이 적다고 생각되는 경우
③ 경기결과가 불확실하다고 생각되는 경우
④ 사회경제적 지위가 낮은 선수가 많이 참가한 경우

■ 자동차경주에서 상대의 자동차 성능이 월등이 좋아서 이기기 어렵다고 생각되면 일부러 그 차와 충돌해 버린다.

31 관중폭력 발생의 주요 결정요인은?

① 관중의 규모가 적음 ② 관중의 밀도의 낮음
③ 앉아 있는 관중이 많음 ④ 경기의 중요도가 매우 높음

■ ①, ②, ③은 관중폭력이 발생할 가능성이 적은 것들이다.

정답 27 : ③, 28 : ④, 29 : ①, 30 : ②, 31 : ④

필수문제

32 **드워(C. Dewar)가 제시한 프로야구 경기의 관중 난동 요인에 대한 설명으로 옳은 것은?**

① 관중이 많을수록 난동 발생 가능성이 낮다.
② 경기의 후반부일수록 난동 발생 가능성이 낮다.
③ 기온이 내려갈수록 난동 발생 가능성이 높다.
④ 시즌의 막바지로 접어들수록 난동 발생 가능성이 높다.

■① 관중이 많을수록 난동 발생 가능성이 높다. ② 경기 후반부일수록 난동 발생 가능성이 높다. ③ 기온이 내려갈수록 난동 발생 가능성이 낮다.

심화문제

33 **관중폭력이 발생하는 원인을 설명한 것들이다. 옳지 않은 것은?**

① 여러 사람이 모이면 개인의 개성과 판단력이 없어지고(몰개성화), 내적 억제력이 약화되는 군중효과 때문에 관중폭력이 발생한다.
② 선수의 적대적인 반칙과 공격적인 행동이 관중폭력을 유발한다.
③ 패배한 팀을 응원하던 관중의 좌절감과 분노가 폭력행동을 유발한다.
④ 어웨이경기보다 홈경기에서 관중폭력이 발생할 가능성이 적다.

필수문제

34 **머튼(R. K. Merton)의 아노미(anomie)이론에서 일탈행동에 대한 적응형태와 특징이 바르게 연결된 것은?**

① 반란(반역)주의-스포츠에서 이기기 위해서는 수단과 방법을 가리지 않아야 한다고 생각한다.
② 도피주의-스포츠에서는 승패보다 규칙을 지키며 참가하는데 가치가 있다고 생각한다.
③ 혁신주의-기존의 스포츠를 거부하고 새로운 형태의 스포츠를 개발해야 한다고 생각한다.
④ 동조주의-스포츠에서는 규칙을 준수하면서 이기는 것이 중요하다고 생각한다.

■**동조주의** : 개인의 생각이나 행동을 집단이 기대한 대로 바꾸는 것. 시간끌기와 반칙작전 등이 있고, 일탈행동은 아니지만 비윤리적인 행위로 비판받을 수도 있다.
■**혁신주의** : 불법적인 수단과 방법을 동원해서라도 승리하려는 것. 대표적인 일탈행동이다.
■**의례주의** : 승리추구에는 집착하지 않고 참여에 의의를 두고 최선을 다하지 않는 것. 일탈행동은 아니지만 바람직한 행동도 아니다.
■**도피주의** : 승리추구와 공정경쟁을 모두 거부하는 것. 스포츠 참가를 중단하거나 포기한다.
■**반역(반란)주의** : 승리추구와 공정경쟁의 수용이나 거부와는 관계없이 자신만의 수단이나 방법을 동원하여 새로운 목표를 달성하려고 하는 것. 반역은 일탈행동일 수도 있고 사회변혁일 수도 있다.

정답 32 : ④, 33 : ④, 34 : ④

35 **보기의 ㉠~㉣에 해당하는 머튼(R. Merton)의 아노미이론에서 제시한 일탈행동 유형이 바르게 연결된 것은?**

> 보기
> ㉠ 벤 존슨은 불법약물복용으로 올림픽 금메달을 박탈당했다.
> ㉡ 승리에 대한 집념보다는 규칙을 지키며 최선을 다해 경기에 참여한다.
> ㉢ 스스로 실력의 한계를 느끼고 운동부에서 탈퇴한다.
> ㉣ 학생선수의 학습권을 보장하기 위해 최저학력제를 도입하였다.

	㉠	㉡	㉢	㉣
①	혁신주의	반역주의	도피주의	의례주의
②	반역주의	혁신주의	의례주의	도피주의
③	혁신주의	의례주의	도피주의	반역주의
④	의례주의	반역주의	혁신주의	도피주의

36 **보기에서 설명하는 사건은?**

> 보기
> » 1972년 제20회 뮌헨올림픽에서 발생
> » 팔레스타인 테러조직에 의한 이스라엘 선수단 인질사건
> » 국가 간 갈등이 올림픽을 통해 표출된 테러 사건

① 축구전쟁(100시간 전쟁) 사건　② 검은 구월단 사건
③ 보스턴 마라톤 폭탄 테러 사건　④ IRA 연쇄 폭탄 테러 사건

■ 검은 구월단(팔레스타인해방기구 내의 극좌파 게릴라조직)이 1972년 뮌헨올림픽에서 이스라엘선수단에게 가한 살인 및 인질 사건이다.

37 **보기에서 설명하는 스포츠의 국제 정치적 사건은?**

> 보기
> » 온두라스와 엘살바도르 간의 갈등 심화
> » 1969년 중남미 월드컵 지역 예선 경기에서 발생

① 축구전쟁　② 헤이젤 참사
③ 검은 구월단　④ 핑퐁외교

■ 1969년 6월 15일 제9회 멕시코월드컵 지역 예선 2차전 경기 때문에 그해 7월에 발발한 온두라스와 엘살바도르 간의 4일간 전쟁으로, 100시간 전쟁이라고도 한다.

정답　35 : ③, 36 : ②, 37 : ①

09 Chapter 미래사회와 스포츠

미래사회에서 스포츠의 변화에 영향을 미치는 요인과 문제점

자연과학과 공학기술의 발전	기술이 스포츠의 본질적 가치를 훼손시킬 수도 있다.
통신과 전자매체의 발달	미디어가 스포츠에 적극적으로 개입할 것이다.
스포츠의 조직화와 합리화	개인의 개성과 스포츠의 다양성이 파괴될 것이다.
상업화 및 소비성향의 변화	스포츠계층이 심화되고 스포츠도 소비 주의적으로 변화할 것이다.
다양한 문화의 융합	세계화가 빠르게 진행됨에 따라 다양한 인종과 문화가 공존하는 사회가 되고, 스포츠도 서로 융합되어서 변화될 것이다.

1 후기 산업사회의 스포츠

정보통신기술과 기계기술이 함께 발전한 사회

기술스포츠	» 새로운 스포츠 종목들이 개발될 것이다. » 스포츠 용기구들이 진보될 것이다. » 정보통신기술이 발달되어 스포츠 관람의 질이 좋아질 것이다.
정보화 시대	» 대중들이 스포츠교육프로그램에 많이 참석하게 될 것이다. » 스포츠정보에 대한 요구가 증가할 것이다. » 스포츠과학의 중요성이 더욱 더 커질 것이다. » 컴퓨터 시스템을 활용하는 전략과 경기 기술이 발달할 것이다.

2 탈 근대문화와 스포츠

근대 문화에서 완전히 벗어나 새로운 문화의 시대가 될 것이다.

자연친화적 스포츠	» 자연친화적인 스포츠가 급증할 것이다. » 동양스포츠에 대한 관심이 증가할 것이다.
스포츠 참여계층의 다양화	» 여성들의 스포츠 참여가 급증할 것이다. » 노인 스포츠의 중요성이 강조될 것이다.

스포츠의 세계화

1 스포츠세계화의 의미

지구상에 있는 모든 개인과 조직, 그리고 국가가 개인적 · 조직적 · 국가적 차원에서 서로 거래를 하면서 효율적으로 대응해 나가는 현상을 '세계화'라 하고, 스포츠 측면에서의 세계화를 '스포츠의 세계화'라고 한다. 전 세계의 문화가 융합되어서 하나의 세계문화로 발전하듯이 스포츠도 전 세계가 융합된 세계스포츠로 발전할 것이다.

2 스포츠 세계화의 동인

☞ 정보통신의 발달……정보통신의 발달에 힘입어 시간이 응축되고 공간이 단축되었으며, 전 세계가 스포츠 프로그램을 공유할 수 있게 되었다.

☞ 신자유주의 경제체제……1970년대 '기업의 자유로운 경영을 국가가 과도하게 규제하기 때문'이라고 보는 신자유주의가 등장하여 경기 침체를 돌파하기 위한 대안으로 공기업의 민영화, 기업의 세금감면, 복지정책의 축소, 정리해고의 확대 등을 주장하였다. 그러한 신자유주의 경제체제 때문에 '빈익빈 부익부의 사회'가 되었고, 수익의 공평분배가 안 되면서 '사회갈등이 심해졌으며', 평등권을 중시하는 '민주주의가 훼손되었다.' 그러나 기업들이 세계적인 기업으로 성장하면서 정부 이상의 힘을 갖게 되었고, 그러한 기업들이 이끄는 스포츠의 세계화는 순조롭게 진행될 수밖에 없게 되었다.

☞ 고령화 사회의 도래……의학의 발달과 경제성장에 힘입어 평균수명이 길어지고 은퇴한 이후에 생존기간이 길어졌다. 자연히 노인들이 건강에 대한 관심이 커지고, 운동 또는 스포츠를 즐기게 되는 동력이 되고 있다.

☞ 페미니즘의 발전……페미니즘이 발전하여 여성의 신체활동 참여가 폭발적으로 증가할 것이고, 여권신장이 아니라 남권회복을 외치는 시대가 올 것이다. 그러면 저절로 여성의 스포츠 참여가 증가하는 스포츠 세계화에 성큼 다가서게 될 것이다.

☞ 스포츠의 세계화에 관련된 용어

- ⓐ 스포츠화(sportization) : 무분별하게 행해지는 신체활동에서 일정한 규칙과 제도를 갖춘 스포츠로 문명화되는 과정
- ⓐ 세계표준화(global standardization) : 자재나 제품의 종류 · 모양 · 크기 · 품질 등을 일정한 기준에 따라 세계적으로 통일하는 것
- ⓐ 세방화(glocalization) : 세계화(globalization)와 현지화(localization)의 합성어. 세계화를 추구하면서 그 지역의 문화와 특성을 반응하는 것
- ⓐ 미국화(Americanization) : 미국의 제도 · 문화 등이 미국 이외의 국가에 영향을 미치는 현상과 그 과정을 말함.

3 미래의 스포츠

☞ 미래에는 과학기술이 접목된 새로운 스포츠 종목들이 많이 개발 될 것이다.

☞ 스포츠 용기구들의 발달로 세계신기록이 무수하게 갱신될 것이고, 스포츠 규칙도 많은 변화가 올 것이다.

☞ 정보통신 기술이 발달되어서 스포츠 관람이 아주 편리해질 뿐만 아니라 고화질의 3D 영상을 자기 마음대로 돌려가면서 볼 수 있게 될 것이다.

☞ 대중들이 스포츠와 관련된 정보를 많이 요구하게 될 것이다.

☞ 경기 결과보다는 건강과 관련된 정보를 더 많이 요구할 것이다.

☞ 지금은 의사의 처방이 중요하지만, 앞으로는 스포츠 전문가의 운동처방을 의사의 처방보다 더 중요하게 여기는 시대가 올 것이다.

☞ 좀 더 섹시하고 좀 더 폭력적인 스포츠 종목이 새롭게 생겨나고, 기존의 스포츠도 점차 섹시하고 폭력적인 방향으로 변해갈 것이다.

☞ 자연친화적인 스포츠가 급증할 것이다.

☞ 노인과 여성을 대상으로 하는 스포츠가 성행할 것이다.

필수 및 심화 문제

필수문제

01 미래사회의 스포츠변화에 영향을 미치는 4가지 요인에 대한 문제점을 설명한 것이다. 문제점이 잘못 지적된 것은?

① 기술의 발전 : 기술도핑(기술이 스포츠의 본질적 가치를 훼손시킬 수도 있다)
② 통신의 발달 : 미디어가 스포츠 발달을 촉진
③ 조직화 및 합리화 : 개인의 개성과 스포츠의 다양성 파괴
④ 상업화와 소비주의 : 스포츠계층의 심화와 경제력을 과시하기 위한 스포츠참여

■ 미래사회에서는 발달된 통신과 미디어가 스포츠에 적극적으로 개입할 가능성이 크다.
■ 미래사회에서 스포츠의 변화에 영향을 미칠 요인
· 자연과학과 공학기술의 발달이 스포츠의 본질적 가치를 훼손시킬 수도 있다.
· 통신과 전자매체의 발달이 스포츠에 적극적으로 개입할 수도 있다.
· 스포츠의 조직화와 합리화로 개인의 개성과 스포츠의 다양성이 파괴될 수도 있다.
· 상업화 및 소비성향의 변화로 스포츠계층이 심화되고 소비위주의 스포츠로 변질할 수도 있다.
· 다양한 문화의 융합으로 스포츠도 서로 융합되어 변질될 수도 있다.

심화문제

02 미래 스포츠의 변화와 전망에 관한 설명으로 옳지 않은 것은?

① 정보통신기술의 발달로 스포츠 관람형태가 다양해진다.
② '기술도핑(technical doping)'은 스포츠의 공정성을 훼손한다.
③ 다양한 신소재의 개발은 스포츠의 용품 및 장비 개발에 활용된다.
④ 통신 및 전자매체의 발달로 스포츠에서 미디어의 영향력이 감소된다.

03 미래의 통신 및 전자매체가 스포츠변화에 미칠 영향으로 바르지 않은 것은?

① 미디어에 의한 스포츠정보 제공
② 스포츠 직접참가 인구의 급격한 감소로 국제스포츠 이벤트 소멸
③ 미래스포츠에 대해 상상할 수 있는 다양한 정보 제공
④ 미디어 제작자들의 미래 스포츠 모습에 대한 영향력 증가

04 미래사회의 스포츠변화에 영향을 미치는 요인이 아닌 것은?

① 자연과학과 공학기술의 발전 ② 통신과 전자매체의 발달
③ 스포츠의 조직화와 합리화 ④ 스포츠의 공업화

■ 스포츠가 공업화될 수는 없다. 그밖에 미래사회에서는 스포츠의 상업화와 소비주의가 한층 더 강화될 것이다.

05 테크놀로지 발전에 따른 미래 스포츠의 변화와 거리가 먼 것은?

① 스포츠장비 개선 ② 뉴스포츠의 지속적 등장
③ 스포츠활동의 위험성 증가 ④ 최상의 운동수행 능력 발현

■ 과학기술이 발전하면 스포츠 활동이 더 위험해질까?

정답 01 : ②, 02 : ④, 03 : ②, 04 : ④, 05 : ③

필수문제

06 미래사회의 스포츠 변화에 대한 예측으로 옳지 않은 것은?

① 용품, 장비, 시설 등 스포츠 환경이 더욱 개선될 것이다.
② 전자매체의 발달로 관람스포츠의 형태가 변화될 것이다.
③ 새로운 형태의 스포츠가 지속적으로 생겨날 것이다.
④ 소비성향의 변화에 따라 노인의 스포츠 참여율은 감소될 것이다.

■ 미래사회에는 노인의 스포츠 참여율이 증가할 것이다.

필수문제

07 보기에서 신자유주의 시대 스포츠 세계화의 특징에 해당하는 것으로만 묶인 것은?

보기
㉠ 스포츠 시장의 경계가 국경을 초월해 전 세계로 확대되었다.
㉡ 프로스포츠의 이윤 극대화로 인해 빈익빈 부익부 현상이 해소되었다.
㉢ 세계인들에게 표준화된 스포츠 상품과 스포츠 문화를 소비하게 만들었다.
㉣ 각 나라의 전통스포츠가 전 세계로 보급되어 새로운 스포츠 시장을 개척할 수 있게 되었다.

① ㉠, ㉡ ② ㉠, ㉢ ③ ㉡, ㉢ ④ ㉡, ㉣

■ 신자유주의시대에는 스포츠시장의 규모가 국제화되고 그 경계가 국경을 초월하게 될 것이다. 나아가 세계인들은 표준화된 스포츠상품과 문화를 소비하게 될 스포츠의 세계화가 도래할 것이다.

심화문제

08 스포츠 세계화의 특징으로 옳지 않은 것은?

① 스포츠 시장의 경계가 국경을 초월해 전 세계로 확대되었다.
② 모든 나라의 전통스포츠(folk sports)가 세계적으로 확대되었다.
③ 세계인이 표준화된 스포츠 상품과 스포츠 문화를 소비하게 되었다.
④ 프로스포츠 시장의 이윤 극대화로 빈익빈 부익부 현상이 심화되었다.

■ ② 스포츠 세계화는 구미 선진국의 스포츠가 전세계적으로 확대될 수 있으므로 전통스포츠는 축소될 수 있다.

09 스포츠의 세계화와 그 특징에 대한 설명이다. 옳은 것은?

① 국가 사이에 정치 · 경제 · 사회 · 문화적 교류가 증대되는 현상을 국제화, 주권국가의 차원을 넘어서 전 세계가 하나의 단일 공동체로 전환되는 과정을 세계화라고 한다.
② 스포츠의 세계화는 국가 간의 경계를 확실하게 한다.
③ 스포츠의 세계화는 공간을 압축하지만 시간은 압축하지 못한다.
④ 스포츠의 세계화가 진행됨에 따라서 국가 간의 스포츠평등이 이루어졌다.

■ ② 국가 간의 경계는 약화되거나 없어진다. ③ 시간과 공간이 모두 압축되었다. ④ 대부분 서구의 스포츠가 다른 국가들에 전파되었으므로 국가 간의 스포츠불평등이 계속되고 있다.

정답 06 : ④, 07 : ②, 08 : ②, 09 : ①

10 신자유주의 시대의 스포츠 세계화에 대한 특징으로 적절하지 않은 것은?

① 프로스포츠의 이윤 극대화에 기여하였다.
② 스포츠 시장의 경계가 국경을 초월해 전 세계로 확대되었다.
③ 세계인들에게 표준화된 스포츠 상품을 소비하도록 만들었다.
④ 각 나라의 전통스포츠가 전 세계로 보급되어 새로운 스포츠시장을 개척할 수 있게 되었다.

■ 일부 국가들의 스포츠가 전세계로 퍼져나갔다.

필수문제

11 스포츠 세계화와 민족주의의 관계에 대한 설명으로 적절한 것은?

① 냉전 시대에 스포츠 세계화는 민족주의를 약화시켰다.
② 민족주의는 국가 간 갈등의 원인이 되어 스포츠 세계화의 걸림돌로 작용해 왔다.
③ 제국주의 시대에 스포츠 세계화는 식민국가의 민족주의를 약화시키는 결과를 초래하였다.
④ 스포츠에 내재된 민족주의적 속성은 다국적 기업의 세계화 전략에 중요한 자원으로 활용되고 있다.

■ ① 냉전시대에 스포츠의 세계화는 민주주의를 강화시켰다.
■ ② 스포츠를 통해 세계인들을 하나로 결속시켰다.
■ ③ 제국주의시대에는 스포츠의 세계화를 통해 식민국가의 민족주의를 강화시켰다.
■ ④ 국가의 이름으로 실시된 스포츠는 기업의 세계화 전략에 주요한 요소로 활용되고 있다.

심화문제

12 스포츠 세계화의 원인이 아닌 것은?

① 종교 전파　② 제국주의 확장　③ 인종차별 심화　④ 과학기술 발전

■ 스포츠세계화의 원인은 제국주의, 민족주의, 종교, 과학기술의 발달 등이다.

13 현대 스포츠의 발전에 영향을 미친 요소에 대한 설명으로 옳지 않은 것은?

① 산업의 고도화 : 스포츠용품의 대량 생산체계가 갖춰지고 용구가 표준화되었다.
② 인구의 저밀도화 : 쾌적한 생활환경으로 인해 스포츠 참가가 증가하였다.
③ 교통의 발달 : 수송체계가 원활해지면서 다양한 스포츠 행사가 열릴 수 있게 되었다.
④ 통신의 발달 : 정보 유통이 원활해져 스포츠저널리즘이 발달하게 되었다.

■ 현대스포츠가 발전하는 데에 영향을 미친 요소에 '도시화'가 있다. ②는 도시화에 반대되는 내용이다.

14 보기와 같이 스포츠의 세계화로 인해 파생되는 현상은?

> 보기
> 최근 들어 우리나라 야구, 축구 선수들의 해외리그 진출이 증가하고 있다. 또한 우리나라에도 축구, 농구, 배구 등에서 많은 외국선수들이 활동하고 있다.

① 스포츠 국수주의　② 스포츠 노동이주
③ 스포츠 민족주의　④ 스포츠 제국주의

정답 10 : ④, 11 : ④, 12 : ③, 13 : ②, 14 : ②

■ 스포츠 노동이주의 유형
■ 개척자(pioneers) :
· 금전적인 보상이 최고의 가치가 아님
· 이주 국가와 친밀한 관계 형성
■ 용병(mercenaries) :
· 경제적 보상이 최고의 이주 결정 요인임
· 더 나은 경제적 보상을 위해 다시 이주할 수 있음
■ 유목민(nomads) :
· 종목의 특성으로 인해 국가 간 이동 발생
· 개인의 취향에 의해 선택하는 경우도 흔히 발생
■ 정착민(settlers) :
· 경제적 보상 외에 다른 요인에 의해 정착
· 보다 나은 사회적 환경이나 교육환경에서 거주
■ 귀향민(returnees) :
· 해외로 이주하였다가 국내로 다시 귀향
· 해외경험을 바탕으로 자국으로 복귀

■ 보기는 세방화에 대한 설명임(p. 92 참조)

■ 제국주의 시대 스포츠는 피식민지 주민의 동의를 얻기 위하여 문화적 수단을 이용한 동화정책의 일환으로 실시되었다.

필수문제

15 보기에서 매기(J. Magee)와 서덴(J. Sugden)이 제시한 스포츠의 노동이주 유형은?

보기
» 종목의 특성으로 인해 국가 간 이동이 발생한다.
» 개인의 취향에 의해 선택하는 경우도 발생한다.
» 흥미로운 장소를 돌면서 스포츠를 즐기는 유형이다.

① 유목민형 ② 정착민형 ③ 개척자형 ④ 귀향민형

필수문제

16 보기의 내용과 관련 있는 용어는?

보기
» 로버트슨(R. Roberston)이 제시한 용어이다.
» LA 다저스팀이 박찬호 선수를 영입하여 좋은 경기력을 펼치면서 메이저리그 경기가 한국에서 인기가 높아졌다.
» 맨체스터 유나이티드팀이 박지성 선수를 영입하면서 프리미어리그 경기가 한국에서 인기가 높아졌다.

① 세방화(Glocalization) ② 스포츠화(Sportization)
③ 미국화(Americanization) ④ 세계표준화(Global Standardization)

필수문제

17 보기에서 스포츠 세계화의 과정에 대한 설명으로 옳은 것을 모두 고른 것은?

보기
㉠ 제국주의 시대에 스포츠를 통한 동화정책은 식민지 체제의 지배를 정당화하는 데 기여하였다.
㉡ 19세기 기독교는 아시아와 아프리카 원주민의 종교적 거부감을 해소하는 데 스포츠를 활용하였다.
㉢ 과학기술의 진보는 스포츠의 시 · 공간적 제약을 극복하는 데 기여하였다.
㉣ 제국주의 시대 스포츠는 결과적으로 피식민지 주민의 민족주의적 감정을 억제하는 데 기여하였다.

① ㉠ ② ㉠, ㉡ ③ ㉠, ㉡, ㉢ ④ ㉠, ㉡, ㉢, ㉣

정답 15 : ①, 16 : ①, 17 : ③

스포츠사회학

연/구/진 소/개

고규철(화신사이버대학교)
김성택(청암대학교)
김정모(나사렛대학교)
박순문(호남대학교)
서재열(예원예술대학교)
오현옥(동국대학교)
이은주(부산과학기술대학교)
이제승(동국대학교)
이한춘(마산대학교)
원유미(대원대학교)
정구중(서울호서예술실용전문학교)
정은주(동서울대학교)
정지운(염광여자메티텍고등학교)
최윤동(신안산대학교)
한경석(동원과학기술대학교)
한용재(대전과학기술대학교)
현태연(부산경상대학교)

초판인쇄/2022년 12월 20일
초판발행/2022년 12월 23일
발행인/김영대
발행처/대경북스
ISBN/978-89-5676-938-7

등록번호 제 1-1003호
서울특별시 강동구 천중로 42길 45 2F
전화 : 02) 485-1988, 485-2586~87
팩스 : 02) 485-1488
e-mail : dkbooks@chol.com
http://www.dkbooks.co.kr

〈전 10권
정가 31,000원

ISBN 978-89-5676-938-7

SINCE 2016

2023 시험대비 신개념 스포츠지도사 문제집

2급(전문·생활·장애인)·유소년·노인 스포츠지도사

운동생리학

운동생리학

대경북스